La cour d'Amour

DU MÊME AUTEUR

Les Âmes brûlantes, O. Orban, 1983.

Les Cités barbares, O. Orban, 1984.

Programme MZ, J.-C. Lattès, 1985.

Les Tentations de l'abbé Saunières, O. Orban, 1986.

L'Or du Diable, O. Orban, 1987.

Le Bal des banquiers, R. Laffont, 1988.

Psywar, O. Orban, 1989.

La Cantatrice, O. Orban, 1990.

Les Sept Esprits de la révolte, Éditions N° 1, 1992.

L'Enfant qui venait du froid, Presses de la Cité, 1993
(en collaboration avec Claude Veillot).

Vercingétorix, Plon, 1994.

La Bastide blanche, Presses de la Cité, 1995.

Le Secret de Magali, Presses de la Cité, 1996.

Jean-Michel Thibaux

La cour
d'Amour

Cette édition de *La cour d'Amour*
est publiée par les Éditions de la Seine
avec l'aimable autorisation des Éditions Ramsay
© Éditions Ramsay, Paris, 1996

CHAPITRE I

Le chapelain Guillaume se retira sur la pointe des pieds. Stéphanie avait refusé de se confesser. Elle n'espérait plus rien. Ni de Dieu, ni des hommes. Elle avait prié, dépensé son or des années durant pour que cesse cette guerre stupide entre son époux Raimond des Baux et le comte de Barcelone, Raimond Berenger. Elle avait grimpé à cinq reprises à genoux au sommet de la Sainte-Baume, s'était meurtri le corps dans la grotte de Sainte-Madeleine, avait fait appel au pape Eugène III et à l'empereur germanique Conrad III. En vain. Les hommes continuaient à s'entre-tuer sur les fiefs de Provence. Sa belle terre avec ses milliers d'oliviers, ses champs de vignes, ses mers de blés mêlant leurs vagues blondes sous les castels et les villages ocre étaient toute baignée du sang des chevaliers.

Une grande honte s'empara d'elle. Elle aurait voulu se trouver à mille lieues de Provence aux côtés des guerriers de la deuxième croisade[1] et mourir pour la bonne cause en défendant le

_____
1. 1146-1149.

7

royaume de Jérusalem. Au lieu de cela, elle se damnait pour une question d'héritage. Elle prit le seul objet de luxe qu'elle avait emporté, un miroir byzantin orné de croix et de pampres, et se contempla. Dur était le visage. Durs étaient les yeux bleus. Nombreuses étaient les rides, fines autour des lèvres, profondes sur le front où luisait une cicatrice gagnée à une bataille. À quarante-six ans, elle ressemblait de plus en plus à sa mère Gerberge, cette louve qui, de son vivant, jouissait de voir les siens s'entre-déchirer.

Elle jeta brutalement le miroir avec l'espoir qu'il se brisât, mais il s'enfonça dans l'épaisseur des peaux d'ours qui recouvraient la terre battue.

– Ô Douce ! Douce, où es-tu ? se lamenta-t-elle en pensant à sa sœur aînée.

Elle tourna sur elle-même comme pour chercher celle avec qui elle avait passé les meilleures années de sa vie. Elle la chercha au-delà des plis sombres de la tente, fermant les yeux. Elle se souvint des Baux, des robes blanches, des bouquets de lavande, des rires et des amours d'enfance. En ce temps-là, elle et Douce parlaient aux oiseaux, aux fées dans les buissons. Elles avaient neuf et onze ans et on les entendait rire dans le vallon d'Entreconque où elles jouaient avec les filles et les garçons du village sans penser à mal, croyant que le monde était pareil à leur riche Provence où il n'y avait ni mendiant, ni brigand.

Le mal s'ourdissait dans le donjon. Gerberge préparait le noir avenir de ses filles. Un jour de décembre 1109, alors que les Provençaux de Bertrand de Toulouse venaient de prendre Tripoli et que tous les yeux de la chrétienté étaient tournés vers la Terre sainte, elle jugea le moment opportun. Elle fit appeler ses filles pendant le conseil et leur avoua son intention de les marier.

C'était la première fois qu'on les convoquait au conseil. Elles entrèrent dans la salle basse et enfumée en se serrant l'une contre l'autre. Les féaux de Saint-Rémy, de Tarascon, d'Arles, de Saint-Gilles et trente autres seigneurs engoncés dans leurs peaux de bête et leurs broignes matelassées dardèrent leurs regards sur les fillettes. Certains portaient la croix rouge des croisés, mais la plupart arboraient les insignes de leur fief. Des animaux fantastiques, dragons et lions ailés, des étoiles et des feuilles s'étalaient sur les poitrines et les longs écus.

L'émotion les gagna. Elles pensèrent qu'on allait les punir bien qu'elles n'eussent rien à se reprocher. Ces hommes terribles couverts de crasse et de poux les effrayaient. Elles cherchèrent leur père, espérant un secours. Le pauvre comte des Baux se tenait dans l'ombre de sa femme ; il y avait longtemps qu'il avait cessé d'exercer son pouvoir. Gerberge commandait. Elle trônait sur un fauteuil aux accoudoirs dorés, reléguant son époux Gilbert avec les dames de compagnie de sa suite. Elle eut un profond soupir de satisfaction en voyant ses filles apeurées. L'affaire serait réglée au plus vite.

Douce et Stéphanie se figèrent à deux pas de leur mère, baissant les yeux. Il y eut un moment de silence, chacun retenant sa toux et son souffle. Puis Gerberge commença sur un ton enjôleur :

9

– *Chato*[1], nous avons pris une grande décision vous concernant. S'il plaît à Dieu, nous vous marierons l'an prochain.

Les deux sœurs crurent que le sol allait se dérober sous elles. Leurs cœurs battirent la chamade à l'unisson. Douce s'empara de la main de Stéphanie et s'y accrocha, chancelante. On disait tant de choses incroyables sur le mariage. Par ce lien sacré, les femmes devenaient grosses et enfantaient ; on racontait des abominations sur le péché de chair, les prêtres parlaient souvent de perdition et d'enfer.

Stéphanie défia sa mère du regard. Un instant à peine. Juste le temps de sentir la froideur de cette femme qui souriait malicieusement en ajoutant :

– Douce, tu associeras notre nom à celui du comte de Barcelone, Raimond Berenger ; nos terres de Provence te reviendront à notre mort. Quant à toi, Stéphanie, tu épouseras le cousin Raimond des Baux et tu garderas ce fief. Nous prendrons toutes dispositions à ce sujet. Qu'on en informe Sa Sainteté Pascal II sur-le-champ !

Il y eut un claquement de ferraille. Les grands chevaliers frappèrent le sol avec leurs épées.

– Père ! cria Stéphanie.

Cela ne pouvait se faire. Elle ne voulait pas du cousin Raimond des Baux. C'était un batailleur de vingt ans, un rustre qui bousculait les paysannes dans les foins. Il passait son temps à tournoyer en rêvant de crever des infidèles.

---

1. Demoiselles.

Gilbert tenta de parler, mais Gerberge lui coupa la parole :

– Mon ami ! Il y va de l'intérêt de la Provence. Qu'avez-vous donc à vous agiter ainsi ? Il en serait autrement si nous avions une lignée de mâles... Dieu ne l'a pas voulu.

Douce et Stéphanie contemplèrent leur père penaud, vaincu une nouvelle fois par cette diablesse. Il n'y eut personne pour les consoler, personne pour essuyer leurs larmes. Ce qui devait arriver arriva. Les deux Raimond ne tardèrent pas à se disputer les héritages de leurs femmes quand Gerberge eut quitté ce monde. Raimond des Baux le batailleur perdit la vie à Barcelone, laissant Stéphanie à la tête d'un pajus dévasté avec ses quatre fils.

Stéphanie se reprit. Douce était loin. Elle ne l'avait plus vue depuis la mort de Gerberge en 1136. Les bruits du camp se firent plus forts. Les marteaux des forgerons tintaient sur les enclumes, les chevaux hennissaient, les sergents hurlaient des ordres. Elle entendit rire Hugon, son fils aîné. Il entra soudain dans la tente et vint l'embrasser sur le front.

– C'est un grand jour !

– Pour qui, mon fils ? Pour ce chien de Raimond Berenger, pour nous ou pour le Diable ?

– Mère ! Comment pouvez-vous parler ainsi ? Notre cause est juste ! Nous gagnerons ! Tous nos commandés sont ici !

Elle le regarda. Il était pareil à son père. Même visage carré aux yeux bruns, même nez épais, même emportement. Un fonceur. Hugon mangeait sa vie par tous les bouts. Maîtresses, dettes, blessures du corps et de l'âme n'avaient pas entamé son enthousiasme. À trente ans, il agissait toujours comme un adolescent. Stéphanie soupira ; l'avenir des Baux était bien compromis.

– Dieu jugera, répondit-elle. Aide-moi, veux-tu ?

Hugon s'empressa d'obéir. Entre eux, c'était un rituel de guerre. Elle portait des culottes longues d'homme et un bliaut noir qui descendait sous la taille. En campagne, elle dormait ainsi, négligeant les merveilleuses chemises orientales que lui avait offertes son époux en des temps meilleurs.

– Commençons la torture, souffla-t-elle en tendant ses bras.

Hugon lui enfila la gambison rembourrée de filasse. Elle eut chaud aussitôt. On était au mois d'août. Le soleil frappait dur en bordure de la Camargue. Les combattants ne tiendraient pas longtemps ; elle l'espérait. Plus courte serait la bataille, plus seraient épargnées de vies. Après la gambison, Hugon lui présenta l'haubert fait de trente mille mailles entrelacées. Vingt livres... cette tunique de fer était bien trop lourde pour elle, mais Stéphanie tenait à ressembler à ses chevaliers. Ils la respectaient depuis le jour où elle avait pris les armes aux côtés de son époux.

Restait la tunique aux armes des Baux. Hugon ouvrit le coffre posé près de la paillasse et prit le vêtement. Lorsqu'il le déplia, la gorge de Stéphanie se serra. Il appartenait à Raimond et on l'avait retaillé pour elle. La comète aux seize rais d'argent, symbole des Baux, s'étalait sur toute la largeur de la poitrine. Quand elle la porta et que l'épée damasquinée fut entre ses mains, elle eut l'impression qu'une force glissait en elle, se répandait dans son corps et lui chauffait le cœur. Elle était prête. Hugon rabattit la toile de tente et s'écarta pour la laisser sortir. Dès qu'elle apparut dans les premiers rayons de l'aube, un seul cri formidable retentit :

– *A l'asard Bautezar !*[1]

Mille guerriers criaient la devise des Baux, rappelant à tous que Stéphanie et ses fils descendaient du Roi mage Balthazar venu en Provence avec les saintes Marie.

Stéphanie leva l'épée vers le ciel. Ses trois autres fils, Guillaume, Bertrand et Gilbert s'agenouillèrent et baisèrent le bas de sa tunique. Des hommes jurèrent de mourir pour les Baux, de la défendre jusqu'à la dernière goutte de leur sang.

Stéphanie n'en demandait pas tant. Elle leur rappela sa volonté d'épargner des vies.

– Donnons une leçon au comte de Barcelone ! Que le Seigneur nous accorde la grâce de le prendre rapidement vivant comme il plairait à Jésus. Je vous le rappelle, mes amis : c'est une guerre entre bons chrétiens, une guerre fratricide, les Baux ne sont pas Jérusalem et je préférerais être aux côtés du roi Louis, du comte de Toulouse et de l'empereur Conrad en partance pour la Terre sainte que sur les bords du Rhône, face à mon beau-frère. Prions mes amis et recevons la bénédiction de Dieu.

Ils prièrent. Pendant de longues minutes, leurs chuchotements se mêlèrent pour la gloire du

---

1. Au hasard, Balthazar.

Christ et la sauvegarde de leurs âmes, puis le chapelain Guillaume les bénit avec un rameau d'olivier. Leur destin était scellé. Les chevaliers
rejoignirent leurs chevaux, les écuyers déployè-
rent les bannières, les soldats défilèrent devant
Stéphanie. Un cor lança un appel lugubre.

Stéphanie poussa son cheval en avant de ses
troupes. L'ennemi n'était pas en vue. L'attente
était longue. Elle craignait l'ardeur de ses chevaliers, mais ils restaient figés sur leurs destriers,
le petit Rhône dans leur dos, le soleil découpant
leurs silhouettes d'acier et de cuir hérissées de
pointes et d'oriflammes.

Elle se retourna et scruta les visages de ses
commandés. Rien ne trahissait leur émotion.
Hugon s'appuyait négligemment sur le manche
de sa hache posée en travers du col de son
cheval ; Rostang de Tarascon aux prunelles
fauves, un trait de sang à la place de l'âme, laissait traîner sa lourde lance sur le sol ; Arnal de
Gers dit le Gaucher caressait le fil de son épée,
le regard perdu sur l'étang de Scamandre
embrumé ; ses fils sagement rangés sous la bannière des Baux lui sourirent. Ce spectacle lui
chauffa le cœur ; elle aurait voulu être comme
eux, avoir des incendies plein la tête, des images
de châteaux démantelés et tout un cortège de
rêves pourpres où le pillage aurait été la loi.

Le soleil monta d'un cran au-dessus du pêle-
mêle de cette étrange armée. Il y eut un mouvement. Du sein de la meute des chevaliers, une
femme émergea.

— Bertrane ! s'écria Stéphanie.

Elle n'en croyait pas ses yeux. Bertrane... La douce Bertrane de Signes qui présidait la cour d'Amour de Provence galopait vers elle. Aucune arme n'étincelait entre ses mains. Elle ne portait pas de cuirasse. Toute vêtue de blanc, ses cheveux noirs volant au vent de la course, la jeune femme était suivie par son époux Bertrand le Dévot et quelques chevaliers de Toulon, Marseille et Evenos. Au milieu de ce groupe, la bannière d'or frappée du cygne blanc claquait.

— Me voici, cousine ! Je te l'avais promis.

Elles mirent toutes deux pied à terre et s'embrassèrent.

— Ma Bertrane, balbutia Stéphanie... Tu es l'envoyée du Seigneur, je n'en espérais pas tant, je ne doute plus de l'issue de la guerre à présent. Si tu es de mon côté, Dieu l'est !

Bertrane eut un regard navré. Son beau visage de brune encore haletant du galop devint triste. Elle repassa au fond de sa mémoire les mille recommandations qu'elle se promettait de faire à sa cousine afin d'éviter cette bataille, mais Bertrand pensait autrement.

— Cousine ! clama-t-il. J'ai avec moi cinquante braves. Prends-les sous ta bannière et qu'il plaise à Dieu de les accueillir dans son paradis s'ils viennent à trépasser.

— Nous les prenons, mon beau cousin. Que leurs cœurs soient vaillants, leurs bras solides. À chacun, il sera compté bon or et bonne terre le moment venu.

« Beau cousin » était de trop. Elle n'aimait pas le gros Bertrand suant. Âgé de cinquante ans, marié depuis dix ans à Bertrane, il ne pensait qu'à manger et à prier. Elle le soupçonnait de n'avoir jamais vu son épouse nue. Il n'avait pas fait d'enfant à Bertrane et on ne lui connaissait pas de bâtard. Quel étrange couple ils faisaient.

Bertrane était assurément l'une des plus belles femmes de Provence et Bertrand, sans aucun doute, le plus laid des seigneurs d'Occident.

— Cousine, ajouta-t-elle, je crains que tu ne sois pas venue de ton plein gré. Il me déplairait de te voir à la merci des gueux du comte de Barcelone. Tiens-toi en retrait des troupes.

— Jamais ! Si je suis ici, c'est au nom des femmes de la cour d'Amour ! Si je suis ici, c'est parce que je vais au gré de mes désirs. Et mon désir est de sauver les hommes. Il y a fort longtemps que je te demande de signer la paix et de venir à Signes. Notre Cour a besoin de toi, Stéphanie.

— S'il ne tenait qu'à ma volonté... Ah oui, soupira Stéphanie, je te soutiendrai mais regarde-les ! Regarde-les ! lança-t-elle en montrant ses hommes. *Dins un temps counfisavoun ensen, mai aro counfisoun plus* [1]. Ils ne jurent que par leurs épées ; ils aiment plus leurs chevaux de guerre que les femmes ; ils tueraient leur frère pour une poignée de blé et je suis obligée de souscrire à cette soif. Laisse-moi à présent, l'heure approche.

Bertrane remonta sur son cheval et s'empara de la bannière de Signes avant de rejoindre le flanc droit de l'armée. Les chevaliers la saluèrent ; il y a longtemps qu'ils s'étaient familiarisés avec l'emblème des Signois. Pas un n'ignorait que la cour d'Amour de Signes jouait un rôle impor-

---

1. Il y eut un temps où ils vivaient et agissaient en confiance, mais aujourd'hui ce n'est plus ainsi.

tant en Occident. La cour, née au lendemain de la première croisade, était le contrepoids des guerres qu'ils aimaient tant ; on y parlait d'amour, d'amour et encore et toujours d'amour depuis plus de trente ans. Le même amour portait Bertrane en cet instant.

Elle pensait que ce serait une joie dépassant toutes les joies terrestres de les voir jeter leurs armes et de se réconcilier avec les Catalans et les Toulousains, mais cette pensée fut troublée par une sourde rumeur montant des rangs de l'armée.

Sur les bords de l'étang de Scamandre, un cavalier venait d'apparaître.

CHAPITRE II

Le cavalier rôda entre les roseaux, puis s'avança hardiment vers les troupes des Baux. Il tenait sa lance à l'épaule et son écu était frappé de l'effigie d'un saint.

– Raimond Berenger ! hurla Hugon. Mère, je vous en conjure, laissez-moi vous rapporter sa tête !

– Tu n'en feras rien ! répliqua Stéphanie. Vois toi-même, il tourne bride. Mesure-toi... Par saint Rémy ! Vais-je devoir t'enterrer comme ton père ?

Malgré la distance qui la séparait d'eux, Bertrane entendit l'altercation. Le danger venait du jeune seigneur des Baux ; il n'y avait qu'un pas de l'intrépidité à l'emportement et Hugon l'avait franchi depuis longtemps. Le calme revint. Le grand silence frissonnant du cliquetis des armes l'enveloppa, la tiédeur de l'air la jeta dans une sorte de rêverie vague. Elle commençait à aimer la platitude du paysage parsemé d'étangs et couvert d'une riche végétation, quand elle eut l'intuition que la tempête approchait.

Au bout de son regard, les lignes des roseaux se courbèrent sous la brise. À ses côtés, masqués par leurs casques à nasales, Bertrand de Signes, Jehan d'Evenos et Rostang d'Ollioules fixaient avec une énergie farouche le même point à l'horizon. Bertrane y lut aussi la peur. Son époux se signa. Un cheval s'ébroua, fit un écart. Avait-il senti ce que les hommes ne percevaient pas encore ? Le chapelain Guillaume cala sur sa hanche la grande croix de bois et leva vers le ciel la lourde masse qu'il tenait de l'autre main.

Bertrane serra les dents. Un murmure monta et s'amplifia. Quelque chose venait. Quelque chose allait surgir entre l'étang du Charnier et celui de Scamandre. Aux murmures portés par la brise venue de Lunel, s'ajouta un roulement de tambour.

– Ils arrivent ! cria un chevalier.

Il y eut un léger mouvement de panique dans les troupes vite apaisées par la main levée de Stéphanie. Chacun assura sa lance sous le bras et détacha le grand écu du flanc de son destrier. Stéphanie baisa le quillon de son épée dans lequel était enchâssée une relique tandis que le murmure s'amplifiait pour devenir un chant.

– Ces chiens chantent la messe ! dit Hugon.

En effet, c'était bien les paroles d'un *Te Deum* qui parvenaient à leurs oreilles. Les gens du comte de Barcelone voulaient mettre Dieu de leur côté. Au-dessus de la brume qui s'accrochait à l'eau dormante des étangs, une oriflamme apparut, puis ce furent les bannières ennemies tenues par des mains invisibles. Elles précédaient la forêt des lances.

Bertrane attendit sans respirer l'éruption de l'armée de Barcelone. Les premiers émergèrent d'un bosquet qui s'étirait de la rivière Virdoule à l'étang du Charnier. Toute la chevalerie des terres allant de Forcalquier à Barcelone était réunie ; elle était entourée d'une masse hétéroclite de combattants à pied. Catalans, Languedociens, soldats, paysans armés de tout ce qui pouvait trancher, couper, perforer, déchirer, crièrent le nom de Dieu en découvrant les Provençaux.

– Sainte mère de Dieu ! s'exclama l'époux de Bertrane. Ils sont trois fois plus nombreux que nous.

À présent les deux camps criaient leur haine. Stéphanie contenait avec peine ses féaux. Elle aussi mesurait avec effroi l'immensité de cette mer de fer que rien ne semblait pouvoir contenir. Au centre d'une cavalerie forte de cinq cents chevaliers réapparut Raimond Berenger. Il était précédé de Basques vêtus de peaux de bêtes retenant une meute de chiens féroces à longs poils. Puis ce fut la stupeur. Même Hugon cessa de jurer. Des rangs compacts de l'ennemi, un petit groupe se détacha.

– Comment ont-ils pu oser ? balbutia Stéphanie.

Le chapelain Guillaume la rejoignit. Son visage rond et suant était bouleversé.

– Refusons le combat !

Le petit groupe se déploya. C'étaient des arbalétriers. Au nombre d'une trentaine, ils prirent position à trois cents mètres des lignes des Provençaux. L'arbalète, l'arme diabolique interdite en 1139 par le deuxième concile de Latran dans son canon XXIX, était bien réelle entre les mains des soldats. Le chapelain Guillaume reçut le renfort de Bertrane. La jeune femme avait à présent le bon droit de son côté.

21

– Je vais parler à Raimond Berenger. M'auto-
rises-tu à demander une trêve honorable ?

Stéphanie contempla sa cousine qui tenait fermement la hampe de la bannière au cygne. Elle
était la seule à pouvoir raisonner le comte de Barcelone. Toute la chevalerie d'Europe la respectait
depuis qu'elle patronait la cour d'Amour. Elle
allait acquiescer lorsque Hugon, que ces propos
rendirent fou de rage, intervint :

– Jamais !

– Hugon, mon ami, dit calmement Bertrane, ne
comprends-tu pas que l'issue de cette bataille va
nous être fatale. Vois toi-même : ils sont plus de
six mille et nous alignons le tiers de ces forces.
À quoi bon sacrifier la fleur de la jeunesse provençale ? Je t'en conjure, donne-moi le quart
d'une heure et je me fais fort de trouver un
chemin jusqu'au cœur de Raimond Berenger.

– Cousine ! gronda Hugon. Moi je me fais fort
de le lui arracher. Tu peux repartir à Signes si tu
le veux ; nous n'avons que faire de lâches alliés.
Enroule ta bannière et prends la route de Marseille.

– Ma bannière flottera jusqu'au crépuscule.

– Suffit, vous deux ! ordonna Stéphanie.

Vexé, Hugon abaissa sa lance, se couvrit de
l'écu et cria :

– *A l'asard Bautezar !*

C'était la devise des Baux. Elle fut repris par
des centaines de voix. Stéphanie pâlit. Son fils
lançait la bataille. Les chevaliers ajustèrent leurs
armes. Ils s'ébranlèrent derrière Hugon ; les
archers et la piétaille les suivirent dans un grand
ferraillement. Hugon houspilla sa monture qui

s'appelait Degai[1]. C'était un cheval terrifiant, formé aux chocs, mordant sur ordre, increvable. Il prit rapidement de l'avance. La cavalerie des Baux se déploya. Face à elle, l'armée ennemie grossissait. Le soleil, flamboyant, multipliait les éclats des casques, élargissait à l'infini la forêt des javelots ; et c'était, tout autour des étangs de Scamandre et du Charnier, un monstrueux épanouissement de mort couvert par la légèreté des oriflammes qui se tordaient et serpentaient dans la brise légère.

Hugon filait vers la ligne des arbalétriers. Il n'entendait pas les clameurs. Son cœur battait au rythme du galop de Degai ; le monde perdait ses contours, la peur n'existait plus. Seule comptait la bataille et la présence de Raimond Berenger au centre de l'élite catalane.

Quelque chose siffla à ses oreilles. Il ne réalisa même pas que les arbalétriers venaient de décocher leurs traits. Les carreaux filèrent de part et d'autre de son cheval, traversèrent les boucliers des chevaliers, leurs cuirasses, pénétrèrent les poitrines. Une vingtaine de braves tombèrent ; les montures roulèrent sur eux ; d'autres se cassèrent les jarrets sur cet amoncellement d'hommes et de bêtes.

– Pitié pour eux ! cria Bertrane en voyant se creuser le trou au sein de la cavalerie menée par Hugon.

Elle chercha du regard Stéphanie. Cette dernière entraînait son chapelain et quelques guerriers vers le nord, tentant un encerclement. Elle

---

1. Ravage.

vit aussi son époux et les Signois pataugeant dans la boue d'un marécage et elle pressentit la catastrophe.

Derrière Hugon, la troupe se reforma.

– *A l'asard Bautezar !*

Il hurla sa devise quand Degai renversa un arbalétrier. La tête de l'homme éclata sous les sabots. Les autres qui essayaient de tendre à nouveau les cordes de leurs armes furent très vite écrasés par les destriers lancés au galop. Hugon poursuivit son chemin et parvint sur le gros des forces ennemies, là où derrière un grouillement de paysans et de soldats se tenait Raimond Berenger.

– Je vais te tuer ! cria-t-il.

Le comte de Barcelone ne l'entendit pas. Le bruit était assourdissant. La terre tremblait, les hommes hurlaient, les fers tintaient et les chevaux hennissaient de douleur quand flèches et lances pénétraient leur poitrail.

À mille pas de l'effroyable mêlée, Stéphanie et ses fidèles abordèrent l'étang de Scamandre. Des Carcassonnais s'y étaient concentrés à l'abri des roselières ; ils surgirent soudain de toutes parts.

– La Dame ! La Dame des Baux ! Prenez-la vivante !

Stéphanie remit tout bas son âme à Dieu. On ne la prendrait jamais vivante.

– À moi les Baux ! cria-t-elle.

Aussitôt, ses chevaliers l'entourèrent. Son chapelain se rua, renversant les téméraires ; il faisait tourner sa masse et fracassait des têtes. Cependant, d'autres guerriers, toujours plus nombreux, quittaient les roseaux et se massaient. À un moment, alors que plusieurs des siens venaient de tomber sous les coups des Carcassonnais, elle comprit qu'elle allait être submergée. Son épée fendit l'air, puis le casque d'un jeune guerrier. Elle hurla comme au plus profond d'un cauchemar, tailla en pièces ceux qui s'accrochaient à sa bride et à ses étriers, perçant les boucliers et les cuirasses, égorgeant un chien féroce qui s'attaquait au flanc de son cheval. Par dizaines, les guerriers s'effondraient, aussitôt remplacés par d'autres. Par dizaines, aussi loin que portait la vue, les chevaliers s'embrochaient, puis s'achevaient à la hache.

Stéphanie crut que le carnage ne finirait jamais, quand le miracle se produisit. Alors que, bousculant les escouades serrées des Carcassonnais, elle encourageait sa monture à se frayer un chemin vers les eaux glauques de l'étang, et que son bras armé frappait à toute volée sur les écus, l'ennemi reflua et baissa les armes.

– Sainte mère de Dieu ! Merci ! lâcha Guillaume en se signant. Seule Bertrane pouvait nous sauver.

Que disait-il ? Pourquoi Bertrane ? Stéphanie arracha le casque qui lui meurtrissait le crâne et se dressa sur ses étriers. La bannière au cygne d'or flottait et claquait. C'était un emblème de pureté et de paix brandi par la plus jolie femme de la chrétienté qui se déplaçait entre les lignes des combattants. Au fur et à mesure que les chevaliers et les sergents l'apercevaient, ils baissaient leurs armes, cessaient de s'étreindre et se soumettaient. L'amour passait et la grâce les touchait. On vit des hommes pleurer, d'autres secourir ceux qu'ils venaient de blesser.

Bertrane coupa à travers les roselières et se

dirigea vers le comte de Barcelone. Ce dernier leva son épée, intimant à chacun le respect. Cependant, il y avait quelqu'un qui refusait la trêve. Hugon, furieux, se battait encore.

– Tue ! Tue ! répétait-il avec frénésie en traçant autour de lui un cercle de sang.

Il la voyait arriver sur lui. Toute blanche sous sa bannière blanche, et ses envies de meurtre grossissaient. Bientôt, il n'y eut plus personne pour le défier, plus personne pour le soutenir. Même ses frères avaient mis pied à terre.

– Bertrane ! Je te maudis ! hurla-t-il.

Elle continua à avancer malgré la menace de la grande épée levée. Elle ne quittait pas le regard fauve de son cousin qui, d'une talonnade, arracha son destrier au bourbier des cadavres. La bête poussa un hennissement effrayant ; elle était pareille à son maître, l'écume maculait ses naseaux. Ils formaient un couple d'où sortaient tous les malheurs du monde.

Avec une rapidité mystérieuse, Bertrane abaissa la hampe de sa bannière. Touché à la poitrine, désarçonné, Hugon tomba. Elle, si fragile, si peu préparée aux métiers de la guerre, venait de vaincre l'un des meilleurs chevaliers de Provence. Comme il n'y avait pas de fer à l'extrémité de la hampe, il se releva sans peine. Tous les chevaliers le contemplaient. La honte le gagna. Bertrane méritait sa part d'acier dans le ventre. Il se releva pour frapper, quand la pointe d'une épée se posa sur sa poitrine.

– Tiens-tu à perdre ta vie et ton honneur ?

Stéphanie le tenait en respect. Elle avait pressenti le drame et elle remercia saint Rémy d'être parvenue à temps. Ce fils qu'elle aimait trop la dégoûtait.

– Mère...

– Suffit !... Il y a des corps à enterrer chrétiennement. Déposons les armes, prions et que tout ce qui peut l'être soit sauvé !

Ces mots, comme des paroles prononcées dans un songe, semblèrent transformer Hugon, lui faire reprendre conscience et découvrir le spectacle affreux qui attristait Bertrane.

La plaine et les marais étaient jonchés de mourants qui gisaient les uns sur les autres, innombrables. Ils mêlaient leurs écus bosselés, entrecroisant leurs membres humides de sang. Ils s'entassaient, cassés, écartelés, et, comme la chaleur faisaient déjà son œuvre, des mouches par milliers s'abattaient sur eux.

– Je veux la paix ! Qu'on le fasse savoir à mon cousin. Bertrane, sois ma médiatrice. Nous traiterons en Arles.

Bertrane acquiesça et lorsque la bannière au cygne se déploya à nouveau dans l'azur de la Camargue, les hommes se mirent à sauver les corps et les âmes.

Les seigneurs d'Aubagne, de Ceyreste, de la Cadière et de tous les fiefs dépendant des Baux n'avaient-ils pas démérité depuis de nombreuses années ? L'idéal de Roland et de Godefroi de Bouillon, qu'ils confondaient avec celui de leurs ancêtres, guidait leurs actes. Nombreux avaient été leurs exploits. Cette fois pourtant, l'ardeur d'en découdre les avait entraînés dans l'indignité. Ils avaient perdu. Leurs têtes étaient encore pleines des gémissements de leurs frères étendus sur la terre, du son victorieux des olifants ennemis.

Le chant des moines, monotone, et l'odeur entêtante de l'encens les maintenaient dans une sorte de mauvais rêve éveillé. Cela faisait plus d'une heure qu'ils attendaient dans la vieille église d'Arles. Sous les voûtes basses des travées éclairées par des torches et des cierges qui ne parvenaient pas à repousser les ténèbres, ils gardaient le silence, s'accrochant à la garde de leurs épées pendues à leurs ceintures.

Le chant des moines monta d'un ton. Une cloche tinta. La lourde porte de l'église s'ouvrit sur un flot de soleil et les rumeurs de la ville.

– Enfin ! gronda un vieux chevalier de Marseille à l'armure bosselée et rouillée.

Magnifiés par cette mélodie, ils se retournèrent, et comme la foule des manants s'écartait, ils aperçurent, s'avançant avec la lenteur d'un revenant mitré, l'évêque d'Arles tout resplendissant dans sa chasuble brodée d'or. Il marchait courbé, frappant le sol de la crosse sur laquelle il s'appuyait en soufflant. Sa peau molle et terreuse pendait sur son visage décharné. Pendant un court instant, il cligna des yeux pour les habituer aux ténèbres de l'église, puis il eut un regard de mépris pour la soldatesque rassemblée sous les pierres séculaires.

Des perdants, voilà ce qu'ils étaient. Ils ne valaient pas mieux que les gueux des quartiers bas de la ville. Ils ne méritaient pas sa bénédiction. Par Jésus tout-puissant, cette affaire allait lui coûter. La défaite des Baux écornait sérieusement ses revenus. Il aurait préféré les savoir prisonniers des infidèles au Caire ou à Damas.

Les seigneurs l'ignorèrent ; ils le détestaient, le sachant capable de toutes les bassesses pour quelques pièces d'or. Eux n'avaient d'yeux que pour la suite du saint homme.

Stéphanie et ses fils, sanglés dans leurs cottes de fer, pénétrèrent dans la fraîcheur de la nef. La comtesse des Baux était livide. Hugon, le visage haineux et durci, ne quitta plus du regard Jésus sur sa croix au-dessus de l'autel. Il le défia, l'accabla tout bas, le tenant pour le grand responsable du désastre. Ses frères étaient au bord des larmes. Derrière eux, la cohue des grands seigneurs poussait, voulant en finir au plus vite. Mais l'évêque ne se pressait pas. Il avait reçu des ordres de Raimond Berenger en personne et il s'y tenait. Le nouveau maître de la Provence voulait humilier ceux des Baux et leurs alliés, et la cérémonie devait se prolonger.

À son tour, le comte de Barcelone arriva. Il fut précédé d'une retentissante sonnerie de trompettes, puis d'un roulement de tambours ponctués par les hourras de ses hommes l'accompagnant en masse. Quand il mit un pied dans l'église, il y eut un froissement de métal. La moitié des gens des Baux tirèrent épées et couteaux de leurs fourreaux, aussitôt imités par les Catalans.

Hugon ne se récria pas. Il mit simplement un genou en terre et se signa. Quand ils le virent si humble et serein, ce fut une désillusion pour leur orgueil comme pour leur vengeance. Les armes retombèrent à leur place. Stéphanie, qui avait craint le pire, s'avança vers Raimond Berenger et lui donna l'accolade.

– Berenger, nous vivons dans un temps maudit. L'Antéchrist est venu qui les éprouve. Ce ne sont pas des parjures et des profanateurs, ils respecteront la trêve et ces lieux. Finissons-en, qu'il soit fait lecture du traité de paix.

– Je te crois, Stéphanie, mais en est-il de même pour tes fils ?

Berenger jeta un œil sur les trois plus jeunes avant d'examiner longuement Hugon. Le fils aîné de Stéphanie se mesurait encore à Jésus ; il n'avait pas l'air de remarquer la présence du Catalan. La haine déformait son visage. On aurait pu croire qu'il pleurait, mais ce n'était que de la sueur qui coulait le long de ses joues creuses, se mêlait à sa barbe boire et à la crasse de son cou.

Sur le côté, presque invisible derrière un pilier, Bertrane contemplait la scène. Elle avait revêtu une robe de bure, rassemblé ces cheveux en une longue tresse et portait le bâton des pèlerins. Elle avait fait le vœu de retourner à pied à Signes en passant par Saint-Rémy, Saint-Zacharie, Saint-Maximin et la grotte de Sainte-Marie-Madeleine après la signature du traité. Hugon la terrifiait. Il émanait une aura noire de toute sa personne et elle paraissait la seule à s'en apercevoir. « Je prierai pour toi, mon cousin », murmura-t-elle tout bas alors que l'évêque déroulait le long parchemin[1].

Le prélat se gonfla d'importance. Il entrait dans l'histoire et cette petite compensation suffisait à

---

1. Statistique des Bouches-du-Rhône pages 1147-1148, reproduisant le traité conservé à la tour du Trésor.

son bonheur du moment. Il se disait qu'après tout il y avait de l'argent à gagner s'il flattait le nouveau maître de la Provence. Et tout à ces nouvelles pensées, il laissa couler un regard sucré sur Berenger.

L'auditoire attendait. La plupart des seigneurs ne connaissaient pas le contenu du document élaboré dans le plus grand secret. La voix égrotante de l'évêque monta et, à partir de cet instant, beaucoup de chevaliers la maudirent.

« ... Au nom de Dieu, moi Stéphanie, déjà nommée, et mes fils Hugon, Guillaume, Bertrand et Gilbert, abandonnons entièrement, délaissons et cédons tous les droits que nous prétendions sur le comté de Provence, et nous imposons là-dessus un éternel silence, de sorte que nous ni aucun de nos successeurs n'inquiéterons plus dans la suite, à ce sujet, Raimond Berenger, comte de Barcelone... »

C'était dit. La hache venait de tomber. Il y eut un frémissement et des larmes. De sa voix lente, le prélat les torturait ; il y prenait un malin plaisir.

« ... Nous leur abandonnons le château de Meynargues, le château de Trans, le château de Gordolos, le château de Ledina, le château d'Aix... Nous faisons la paix, sans aucune ruse, à tous les adhérents et amis du comte que nous avons eus pour ennemis dans cette guerre, tant aux vivants qu'aux morts, militaires ou fantassins, et à tous ceux que pourra désigner la mémoire dudit comte ; et si quelque chose du susdit plaid et fin ci-dessus écrite était enfreint ou transgressé par nous ou par les nôtres, si dans les quarante jours de l'avertissement qui nous en aurait été donné par vous ou les vôtres, nous n'avions pas réparé ou rétabli le dommage, moi, Hugon des Baux, déjà nommé, je me mettrai en votre pouvoir et n'en sortirai d'aucune façon jusqu'à ce que nous ayons tout réparé à votre jugement... »

Tout le monde regarda Hugon. Le fils de Stéphanie, le sang aux joues, se tourna vers l'évêque et parut se perdre dans les petites éponges humides de son regard torve. Ce sentiment de vertige, qu'il avait déjà éprouvé lors de sa reddition à Bertrane de Signes, l'envahissait de nouveau. Craignant un moment de défaillir dans cette odeur de traîtrise qu'il retrouvait sous les basses croisées de l'église, il grimpa les trois marches qui le séparaient de l'autel et s'accrocha au marbre froid de la table. Mais il se reprit immédiatement.

– Dépêche-toi donc ! cria-t-il au représentant de Dieu. Avant que je ne te fasse mettre en croix !

Il tira son épée et balaya l'autel de la lame, brisant les fioles et renversant le calice.

– Sacrilège ! lança l'évêque en se précipitant vers le comte de Barcelone.

Ce dernier demeurait serein. Il souriait, énigmatique, une main nonchalamment appuyée sur le pommeau d'or de son épée. Il avait pris ses précautions. Quatre arbalétriers tenaient en joue Hugon le bouillant. Hugon qui crachait sa haine à la terre entière.

– Ah ! dire qu'on gagnerait son paradis, rien que de tuer les évêques ! Ce sont tous des gueux ! Ils ont vendu leur âme au diable ! Voilà la vérité, frères de Provence. Et toi, mère, comment peux-tu accepter les termes de ce traité ? C'est la ruine de notre maison, la déchéance de notre nom qu'on nous propose là.

– Tu signeras, cousin, ou tu disparaîtras !

La voix avait claqué. Hugon parut décontenancé. Qui osait lui tenir tête ? Il la découvrit dans sa robe de bure, humble mais déterminée, fendant les rangs des soldats.

Bertrane faisait appel à tout son courage. Consciente de son aura et de l'ascendant qu'elle avait sur tous ces barbares, elle les prit à témoin.

– Vous le savez bien, la terre de Provence m'est chère comme elle l'est à vos cœurs. Elle est à l'abri du mal maintenant, et j'en suis heureuse pour vos femmes et vos enfants, pour nos paysans qui ont tant à se battre contre le mistral et la sécheresse. Rejoignez vos foyers et si malgré tout le Diable vous tente, alors jetez-vous sur les routes de Jérusalem. Ce conseil est bon pour toi, Hugon. Tes rêves de batailles sont là-bas, au-delà de l'Oronte et de la vallée de Josaphat. Cent mille Turcs et cent mille Arabes t'attendent dans les déserts de Judée. Prends la croix et embarque-toi à Marseille.

– Jamais !

Hugon était au bord de l'apoplexie. Il se rua hors du cercle des grands chevaliers, hors de l'église. Des idées de meurtre plein le crâne lui firent oublier qu'il portait le nom prestigieux des Baux. Il bouscula les badauds, frappa des indigents, renversa une femme enceinte sur son chemin. Il n'entendait point les cris, les lamentations, ni sa mère sur le parvis. Quand il enfourcha son cheval de guerre, il ricana comme un dément.

– Seigneur, protégez-le, souffla Stéphanie.

Elle sentit la main douce de Bertrane sur son épaule.

– *S'en engrisa*[1] de haine, tu ne peux rien pour lui. Pense à toi désormais. Accompagne-moi en pèlerinage. Ta place est à mes côtés à Signes, avec les dames de la cour d'Amour. Nous avons tant à faire pour changer ce monde... Tant à faire...

---

1. Il s'est grisé.

Chapitre III

Son cheval volait au-dessus des pierres. Hugon lui labourait les flancs, le frappait. La plaine de la Crau brûlée par le soleil lui apparaissait comme l'antichambre de l'Enfer. Il ne craignait plus rien ni personne. Sa bouche écumante proférait des jurons, son regard narguait l'horizon plat de cette terre qui lui appartiendrait à jamais. Soudain, son cheval épuisé se cabra et se coucha dans la poussière rouge de la plaine. Le cœur d'Hugon cognait contre la cuirasse ; il le laissa battre, trouvant du plaisir à rester étendu sur la terre de son fief de Salon. Puis la haine revint et des mots coururent sur ses lèvres tordues.

– Ô Berenger, je n'ai pas voulu de ton marché. Et si tu me proposais cent mille marcs d'argent, avec ton amitié en prime, j'essaierais encore de t'arracher le cœur. Tu as tué mon père. Mieux vaut la mort que ta bannière sur le donjon des Baux.

Il griffa le sol, pourchassant en vain l'image du comte de Barcelone. Puis le visage de Bertrane s'imposa à lui et il se souvint de l'affront. Il avait manqué de courage. Il aurait dû la clouer d'un

35

coup de poignard sur l'autel de l'église. Par l'amour démesuré de sa cousine pour la paix, il avait perdu son honneur, la confiance de ses hommes, le respect de sa mère. Cette gueuse allait payer ; il saurait lui prendre la vie, la lui retirer goutte à goutte ; la faire dévorer par les rats dans le plus profond des cachots. C'était pour cette raison qu'il était parti de Arles. Il se redressa, siffla Degai. Le cheval dressa l'oreille, s'ébroua, puis vint caresser son maître de ses naseaux.

– T'en fais pas, mon beau ; tu auras ta part de Bertrane. *Aquelo dameisello es fouesso mistoulino*[1], ses os se briseront sous tes sabots. S'étant remis en selle, il le houspilla de nouveau.

Avec ces nombreuses troupes entre ses murs, la bonne ville d'Arles drainait à elle tous les paysans du pays. Ils n'étaient pas les seuls à accourir avec paniers, tonneaux, poules, lapins et marmailles. Par charrettes pleines, les prostituées d'Avignon et de Marseille avaient rejoint leurs consœurs dans le quartier des arènes. Ce fut semaine de fêtes, semaine de marché, semaine d'amours faciles et on oublia bien vite la guerre.

– Ce n'est pas sage, grommela Guillaume, il est encore temps de renoncer à ce pèlerinage.

Pour toute réponse, il eut droit aux sourires des deux femmes. Bertrane et Stéphanie, il le savait, ne fléchiraient pas. Face à la statue de bois de saint Trophime, elles avaient promis de se rendre

---

1. Cette demoiselle est très fluette.

à pied sur la Sainte-Baume. À présent, elles étaient pareilles aux pèlerins qui sillonnaient les rues encombrées. Les plus courageux se rendaient à Jérusalem, les autres se contentaient d'aller prier sur les nombreux sanctuaires éparpillés en Provence.

– Mon bon abbé, nous ressemblons à des pauvresses. Qui voudrait nous faire du mal ? dit Stéphanie.

– Les routes sont sûres, ajouta Bertrane. Les Sarrasins n'abordent plus nos côtes. Les brigands se terrent dans les garrigues, loin des châteaux et des villages où nous ferons étape.

Le chapelain se renfrogna. Les femmes, surtout Bertrane, avaient une vision idyllique de la Provence ; la faute en incombait à tous ces fainéants de troubadours qui infestaient l'Occident. Il les haïssait. Les chantres de la poésie, Marcabrun en tête, détournaient les humains de la voie tracée par les Saintes Écritures. Le rêve courtois le dégoûtait. Il se souvenait encore du passage de Marcabrun aux Baux et de ses vers. Diablerie, tous ces mots chantés pour séduire les dames. Et cette diablerie, il l'avait toujours à l'esprit. Il aurait pu réciter ces saletés tant il les entendait souvent dans les bouches des dames : « Les songeurs d'amour volage sont la proie d'une folle rêverie, car sur un millier de ces amours songeuses je n'en trouve pas une qui parte du cœur ; cependant, je ne dois pas blâmer entièrement le penser, car Jeunesse serait honnie : si pensée d'amour était mise en oublie, Joie tomberait dans le canal. »

Guillaume jeta un œil mauvais sur la foule. Des soudards catalans, collés aux hanches des

37

gueuses, excités, un peu ivres, barbus et pouilleux, faisaient grand tapage dans les rues étroites.

– Des bêtes ! grommela-t-il.

Et il avait de quoi calmer les bêtes. Sa masse
d'armes était cachée dans l'un des sacs de toile
accrochés aux flancs de la mule qu'il tirait par la
bride. L'épée de dame Stéphanie s'y trouvait
aussi. Ils s'enfoncèrent dans une ruelle et furent
absorbés par l'énorme ripaille de l'armée victo-
rieuse.

Stéphanie s'avança, frissonnante et haletante,
marquée par toutes ces semaines d'épreuves et
de haine. Jusqu'au lever du soleil, elle avait cru
revoir sa sœur Douce, mais Berenger s'y était
opposé. Douce demeurait à Vauvert avec une
compagnie d'archers et vingt chevaliers de Car-
cassonne. Nul ne tenait aux retrouvailles des
deux sœurs.

– J'aurais tant voulu serrer Douce dans mes
bras, laissa-t-elle échapper.

Bertrane se troubla. Son amie devait oublier
Douce. Les deux sœurs étaient séparées à jamais.
Elles portaient le nom des Baux et cela suffisait
à les mettre en danger. L'interdiction absolue de
renouer avec le passé n'avait pas été formulée
ouvertement, mais Bertrane l'avait lue dans le
regard du comte de Barcelone, sentie dans la voix
de l'évêque. Tout au long de la cérémonie de paix,
la menace avait plané, pendant que le peuple
priait, suspendu dans le recueillement, et que les
chants austères couvraient à peine le cliquetis des
armes traînant sur les dalles de l'église.

– C'est une joie qui te sera donnée dans l'autre
monde. Dans le ciel de Dieu, il n'y aura point de
méchants hommes pour vous séparer.

Bertrane prit Stéphanie par la main. Quand elles franchirent la porte de Marseille, la dame des Baux se tourna vers la Camargue. Son cœur se déchira à la vue des oiseaux roses s'abattant à l'horizon. L'appel du passé perdu et de la terrible défaite était si fort qu'elle eut envie de se jeter sous les roues des chariots en route vers la Crau plutôt que de survivre.

Cependant il y avait la main de Bertrane dans la sienne. Cette main chaude qui la serrait et l'entraînait. Et elle reprit goût brutalement à la vie. Au loin, derrière les montagnes blanc et ocre du Levant, de nouvelles aventures l'attendaient.

– Tu seras la reine de notre cour d'Amour, lui dit Bertrane au moment où Stéphanie s'abandonnait à sa destinée.

La bave luisait sur les naseaux de Degai. Par moments, Hugon encourageait son cheval. Ceux qui les voyaient passer se signaient. Jamais homme et bête n'avaient paru aussi terrifiants. Une nouvelle aube se levait quand il atteignit Trets.

Les sentinelles du château aperçurent sa silhouette qui se détachait sur le front vaporeux de la Sainte-Victoire. Ténue sur son écu, elles reconnurent l'étoile des Baux. Leur seigneur arrivait, se frayait un chemin à travers les ténèbres de leur conscience en proie à la fatigue. L'une d'elles se rua sur la trompe de cuivre et sonna l'alerte.

– C'est Hugon ! Hugon des Baux !
– Qu'on réveille le Bâtard !
Un sergent dévala les marches de la tour

d'angle, avala deux par deux celles du donjon, poussa une lourde porte cloutée et beugla :

– Hugon nous vient !

Dans la pénombre de la salle basse et voûtée quelque chose remua. Le sergent prit l'initiative d'écarter les peaux qui masquaient les ouvertures et vit le Bâtard étendu sur sa vaste paillasse.

Odet d'Alègre, dit le Bâtard de Trets, était nu. Nues aussi les deux jeunes femmes et l'adolescente à ses côtés. Le Bâtard avait d'énormes appétits ; il consommait femmes, filles et garçons sans distinction, les livrant à son grand corps et à ses vices.

Alors qu'il jetait un regard terrible sur son sergent, ses compagnes s'éveillèrent dans un frisson. Il se pencha sur la plus jeune et grommela :

– *Que démon trévo démon deven* [1], file d'ici petite, je ne veux pas que le Hugon te dévore ! Allez zou vous autres ! Mon bliaut, mes chausses, le seigneur des Baux va arriver d'un instant à l'autre ! Couvrez-vous, chiennes !

Les femmes bondirent hors de la couche et enfilèrent des robes de laine avant de lui tendre le bliaut et les chausses. Le Bâtard eut tout juste le temps de se couvrir. On entendit un bruit d'éperons, des pas sourds. Précédant deux chevaliers de Trets, Hugon parut sur le seuil de l'antre du Bâtard. Sa cagoule de mailles à demi rejetée en arrière laissait voir ses yeux clairs pareils à des écailles d'argent. Il renifla, fit la grimace. L'endroit sentait la vinasse, l'urine et l'amour.

– Salut à toi, Hugon !

---

1. Qui démon hante, démon devient.

40

Le Bâtard s'était avancé. Sa vaillance légendaire se désagrégea en un embrouillamini de peur et de sensations mauvaises quand il dévisagea de près son maître.

Hugon ne répondit pas à son salut ; il marcha jusqu'à la couche, la contempla, puis son regard revint sur le Bâtard.

— Qu'on nous apporte du vin ! clama ce dernier.

— Tu connais la nouvelle ?

— Les messagers sont venus... C'est la paix...

— Il n'y aura pas de paix tant que je serai vivant. Nous avons été trahis.

Hugon se mit à raconter la bataille, l'intervention de Bertrane de Signes, le manque de troupes, la couardise de l'évêque d'Arles, la défection de sa mère et la résignation de ses frères. Le Bâtard se tenait roide. Il était nerveux. Le jeune comte des Baux voulait du sang, il le sentait. À un moment, il crut que ce dernier allait lui reprocher de ne pas avoir été à ses côtés en Camargue, mais Hugon n'en fit rien. C'était lui-même qui avait ordonné à la garnison de Trets d'assurer la sécurité dans la vallée de l'Arc.

— Sur qui puis-je compter ? Où sont mes amis ? hurla Hugon.

Un page fit son entrée. Il portait un plateau de cuivre sur lequel étaient posés un cruchon et des gobelets. Ce fut la victime désignée. Hugon se rua sur lui, le prit au collet et le secoua.

— Je suis entouré de traîtres !

Le page lâcha le plateau. Le cruchon se brisa. Le vin se répandit par terre. La fureur d'Hugon sembla se décupler ; il avait déjà une main sur le manche du poignard qui pendait à sa ceinture et

serrait la gorge du garçon quand le Bâtard intervint.

– Hugon ! Hugon ! laisse-le, il appartient à une
famille de Fuveau qui t'est fidèle... Beaucoup sont
avec toi en Provence ! J'en suis ! Demande-moi
ce que tu veux ; mon bras attend tes ordres.

Ces paroles calmèrent le seigneur des Baux. Il
lâcha le page et posa une main sur l'épaule du
Bâtard.

– Ami...

« Ami » pesa comme un sac de plomb sur le dos
d'Odet.

– Ami, répéta Hugon, demande à tes gens de
sortir ; j'ai quelques confidences à te faire.

Le Bâtard montra la porte du menton et tous
s'éclipsèrent sur la pointe des pieds. Ils étaient
enfin seuls. Hugon se détendit, emmena son
commandé vers l'une des étroites ouvertures du
donjon. Il prit son temps avant de parler, cherchant des signes dans le ciel. Dans la vaste plaine
de l'Arc, un long bruissement monta, puis ils
entendirent un léger sifflement sur les cordes qui
maintenaient les oriflammes sur les chemins de
ronde. Ce son coupant annonça la levée du mistral. Hugon s'emplit les poumons de cet air qui
sentait bon le thym et la lavande. La Provence se
manifestait dans toute sa force et le seigneur des
Baux en eut les larmes aux yeux. Son pays allait
tomber aux mains des Catalans s'il ne mettait pas
fin aux traîtrises.

– Tu as raison, beaucoup me sont fidèles, dit-il,
mais il y a tous les autres, ceux qui veulent la
chute de notre maison, ceux à qui il faudrait *cava*

les hueils[1]. C'est de ceux-là que je suis venu te parler. D'une surtout...

À cet instant, il se fit matois. Son regard se plissa. D'une main de magicien, il fit surgir une bourse pleine sous le nez du Bâtard. Il la secoua ; les marcs tintèrent.

– Il y en a cinquante... d'or.

À son tour le Bâtard devint madré. Son visage mafflu s'éclaira d'un sourire qui découvrit ses dents carnassières. Pour une somme pareille, il était prêt à tuer un évêque. La bourse oscillait entre les doigts bagués d'Hugon et les pièces chantaient de plus en plus fort.

– C'est une somme, articula-t-il la gorge sèche.

– C'est que la tâche à accomplir n'est pas facile...

– *Pouer ! Eme soun dail cruel la mouer pooupo persouno, sego leis reis tout coumo leis sujhets !*[2] Dis-moi qui je dois faucher avec cette épée !

Le Bâtard se précipita sur son épée pendue au-dessus de la couche, la dégaina et fendit le vide.

– Bertrane de Signes !

Le Bâtard eut soudain peur pour lui : il n'était pas à la hauteur de la situation. On ne portait pas la main sur une dame de la cour d'Amour, cela allait à l'encontre de toutes les règles de la chevalerie. Il s'agissait de Bertrane de Signes, de la plus aimée des femmes de Provence. Plusieurs chevaliers s'étaient battus pour elle en tournoi, d'autres avaient pris la croix en apprenant son mariage avec le seigneur Bertrand.

---

1. Crever les yeux.
2. Porc ! La mort avec sa faux ne fait grâce à personne, ainsi que les sujets, les rois elle moissonne !

– C'est que... balbutia le Bâtard.

– Hé bien quoi ? Il faut prendre à cœur les intérêts de la Provence. Il est bien clair que si nous n'avions pas été amollis par ces femelles qui rendent des sentences amoureuses, nous serions les maîtres du monde. N'es-tu pas mon vassal ? Ne t'ai-je pas comblé d'honneurs ?

– Je ne comprends pas... Je ne comprends rien... Je n'aime pas tout ça... Je risque d'être mis au ban de la chevalerie...

– Qui te parle d'agir en personne ?

Hugon tentait toujours son subalterne avec sa bourse. Il en défit les lacets de cuir et laissa couler les pièces sur la couche. Un rayon de soleil pénétrait dans le donjon et les marcs resplendissaient dans le miel de cette lumière. À la vue de cet or répandu, le Bâtard chassa ses craintes. Son regard aminal s'adoucissait ; Bertrane ne lui apparaissait plus comme une vierge sacrée. Il s'installait déjà dans le rapport confus qui se tissait là entre lui et sa future victime. Presque une minute s'écoula dans cette paradoxale tranquillité. Hugon avait le visage confiant quand il reprit :

– Oui, j'ai de la haine pour la Signoise et je veux te la faire partager. Es-tu mon frère d'armes ?

– Oui !

– Je veux que tu libères quelques-unes des bêtes de tes prisons.

Le Bâtard comprit. Il avait en charge la plupart des criminels arrêtés sur les terres allant des Baux à Toulon pour viols, meurtres, pillages ; des hommes de la pire espèce.

– On ne peut leur faire confiance.

– On les tiendra par l'argent.

Le Bâtard acquiesça. L'argument était imparable.

– Suis-moi !

La lumière dense et ambrée de la matinée tombait déjà par-delà les remparts quand les deux complices traversèrent la cour. Ils n'eurent pas un regard pour les serfs qui fouillaient les ordures sous les cuisines. Il y avait beaucoup de femmes hébétées. Leurs longs cheveux crasseux cachaient leurs yeux rougis. L'odeur était épouvantable. Un remugle de fientes, de fumier et de viandes décomposées collait aux narines. Hugon en eut la nausée. Ici, rien ne ressemblait aux Baux. Le Bâtard ne se souciait pas du bien-être de ses gens. Il se plaisait à les maintenir à l'état de bêtes parmi les masures qui poussaient à l'ombre des hautes tours de Trets, le long de la route d'Aix, sur les flancs de la colline érodée par des générations d'hommes.

Le Bâtard frappa du poing à une porte basse et cloutée.

– Ouvrez ! gronda-t-il de sa voix rude.

Les gonds gémirent. Deux gardes apparurent, clignant des yeux ; ils perdirent leur air farouche en découvrant leur maître et le seigneur des Baux. Le Bâtard les repoussa et se dirigea droit vers un bout d'escalier qui plongeait dans les entrailles du château. Des torches éclairaient çà et là le monde souterrain dans lequel ils s'aventurèrent. Une fumée rancie flottait dans l'air, et au fur et à mesure qu'ils franchissaient des portes, les gardes paraissaient moins humains, contrefaits, possédés par la nuit éternelle des lieux.

Hugon sentit monter en lui toutes les terreurs et toutes les humiliations. L'endroit sentait la torture et la mort. Cependant il était chez lui ; tout lui semblait normal, familier. On s'inclinait devant son blason, le Bâtard était sa créature, la vie des prisonniers lui appartenait. Un gros geôlier blême au front bas fut le dernier à se présenter à eux. Quand le Bâtard demanda à être conduit dans la fosse aux criminels, le bonhomme eut un brusque froncement de sourcils.

– Tu as bien compris, Jehan ! Ce sont les rats que nous voulons voir !

Le geôlier se dandina sur ses courtes jambes, choisit une énorme clef pendue à un trousseau, puis ricana.

– *Es un pooun tabourin*[1], dit le Bâtard à Hugon, mais il me rend bien des services en nettoyant de temps à autre les cachots quand les rats sont trop affaiblis par la maladie.

Hugon comprit en quoi consistait le nettoyage. Les rats étaient les condamnés. Il imagina le geôlier étranglant les malades avec les chaînes rouillées qui entravaient leurs membres.

Le Jehan éructa quelque chose en déverrouillant une grille aux épais barreaux. Au-delà de la grille, il y avait un trou d'ombre d'où sortirent des gémissements, puis une voix tonitruante :

– Sois damné, Bâtard de Trets !

Le Bâtard lança un clin d'œil à Hugon avant de promener une torche au-dessus de la fosse.

---

1. Il a la tête un peu fêlée.

– Vois, ils ne sont pas bien vaillants.

Hugon contempla les prisonniers. Ils étaient une vingtaine, pitoyables, en guenilles, émaciés et amaigris. Certains furent aveuglés par la flamme du brandon brandi dans les ténèbres. Dans un bruit de chaînes, ils se couvrirent les yeux. Quatre cependant se tenaient debout, écarquillant les prunelles. Ils avaient encore fière allure et l'un d'eux se montrait agressif, tendant le poing.

– Bâtard, descends donc ! On crève de faim ! Qui donc t'accompagne ?

Alors que le détenu aboyait comme un chien féroce, Hugon demanda au Bâtard de les libérer tous.

– Tu n'y penses pas. Certains n'ont même plus l'usage de leurs jambes.

– Et ces quatre-là ? dit Hugon.

– Ils sont enfermés depuis cinq jours. On les a surpris près des fermes d'Ollières qu'ils venaient de piller. Ce sont des croisés français en rupture de ban ; il y a bien longtemps qu'ils ont abandonné l'armée du roi Louis. Leur chef que tu entends gueuler est un Champenois du nom d'Isembard le Droit, mais ce sera l'un des plus tordus que je ferai pendre depuis que j'ai pris ma charge à Trets. Rien qu'à Ollières, il a poignardé cinq drôlesses en les violant.

– Tu ne le pendras point. Fais sortir les hommes valides et exécute les autres.

Hugon s'éloigna. Aussitôt le geôlier appela un aide armé de pinces, de burins et d'une masse. On laissa glisser une échelle et un à un les détenus qui pouvaient marcher furent libérés de leurs fers.

47

Le Bâtard n'attendit pas que le geôlier donnât le coup de grâce, mais en remontant à la surface, il entendit le choc sourd de la masse sur un crâne.

Hugon se chauffait au soleil quand les prisonniers, sales, couverts de haillons, les ongles longs, les cheveux pareils à des broussailles grouillant de poux, sortirent en rampant, s'agrippant les uns aux autres dans la lumière aveuglante. Seuls Isembard et ses trois compères ne se heurtaient pas aux obstacles. Eux ne croyaient pas au bonheur d'être de nouveau sous ce ciel de liberté lavé par le mistral. Ils cherchèrent en vain le gibet, le billot de bois sur lequel on ligotait la tête des condamnés.

— Nous allons passer un marché, dit Hugon en les toisant un à un.

Ce fut alors que les Champenois reconnurent l'étoile des Baux sur les habits du Provençal.

— Vous quatre, continua Hugon en les désignant. Toi, toi et toi, ajouta-t-il en sélectionnant trois autres gaillards que la détention n'avait pas trop usés, suivez-moi !

— Qu'est-ce que je fais des autres ? demanda le Bâtard.

— Qu'ils servent à l'entraînement de tes archers ! laissa tomber le seigneur en arborant un sourire cruel.

La paire restante fut aussitôt plaquée contre les montants d'une charrette. On entrava les pieds et les mains des pauvres bougres qui ne se rebellèrent même pas. Sur l'ordre d'un sergent, une douzaine d'archers s'alignèrent et lardèrent les corps de traits.

— Il y aura toujours une flèche pour vous rattraper, dit simplement Hugon en fustigeant du regard les hommes frissonnants qui emboîtaient son pas.

Il les emmena dans les écuries, fit briller quelques marcs d'argent et leur dit qu'il s'agissait d'éliminer des espions à la solde des Catalans. Il fut bref, donna une description des trois pèlerins en route pour la Sainte-Baume et conclut :

– Le Bâtard vous conduira.

Chapitre IV

C'était une nuit très agitée, comme on en connaissait à chaque changement de temps. Les rafales de vent se succédaient dans le ciel limpide, si pur que la Voie lactée irradiait une lumière qui fascinait les deux femmes.

Bertrane était dans les bras de son aînée. Stéphanie, la tête renversée, les jambes lourdes, sentait battre le cœur de la jeune femme au rythme des étoiles. Bertrane était en harmonie avec l'univers et Stéphanie aurait voulu être comme elle. Elle essaya de se détendre ; trois jours de marche depuis leur départ d'Arles, cent prières dans les églises rencontrées n'avaient pas suffi à chasser les affres de la défaite. Son souci majeur avait pour nom Hugon. Son fou de fils s'était volatilisé. On le croyait à Marseille, organisant une rébellion. Elle redoutait le pire. Sombre était l'âme de l'aîné des Baux, une loi de fer le forçait à l'aveuglement, son ton était celui du commandement et de la décision, mais elle, la mère, savait que derrière les yeux clairs et durs de ce fils, des idées incohérentes se frayaient des chemins de sang.

À la pensée des folies d'Hugon, sa poitrine se

51

souleva plus fort et plus vite. Bertrane le sentit aussitôt.

– Tu penses encore à lui, n'est-ce pas ?

– Non... *Me n'en chaou pas !*[1] mentit-elle un peu vite.

– Viens, allons prier pour lui, dit Bertrane en se détachant de Stéphanie.

– Je crains qu'il soit trop tard ; il va nous trahir, me tuer peut-être !

– *Si fasiè aco seriè pas bouèn à douna eis chins !*[2]

Stéphanie saisit les mains de Bertrane et la serra de nouveau contre elle. C'était de la nuit, des étoiles, du mistral que viendraient le conseil et la consolation. Noires étaient les maisons de Saint-Maximin, noires étaient les silhouettes pelotonnées sur le parvis de l'église, sous les auvents, autour du puits et des trois châtaigniers séculaires. Plus de cent pèlerins en route pour Jérusalem essayaient de dormir, mais la chaîne grinçait, les feuillages bruissaient, les volets descellés frappaient les murs dans de grands coups sourds, le mistral mugissait, sifflait, attaquait le clocher de l'église. Là-haut, les sons prenaient des résonances inattendues et des voix lugubres semblaient sortir des gargouilles dont les gueules mordaient les constellations.

Stéphanie attendit, essaya en vain de décrypter ce que lui soufflait le vent, son ami. Des lambeaux d'idées, de pensées, d'images se succédaient dans son cerveau et sans cesse surgissait

---

1. Je ne m'en soucie point.
2. S'il faisait une chose pareille, il ne serait pas bon à jeter aux chiens.

la vision d'Hugon chevauchant Degai, un Hugon entouré de flammes, à la tête d'une cavale de brigands saccageant la Provence.

– Allons prier ! dit-elle soudain.

Elle accédait au désir de Bertrane. Elles se redressèrent, la main dans la main, aussitôt imitées par le chapelain Guillaume. Le gros prélat grogna ; cela faisait trois nuits qu'il ne parvenait pas à dormir. Ces deux écervelées – que Dieu lui pardonne – avaient voulu se conformer à une sorte de code de l'honneur des pèlerins, se nourrissant de pain et d'olives, campant à l'air libre avec tous les pouilleux venant d'une grande ville du Nord appelée Calais. Il n'avait pas échappé à ce règlement de mendiant et s'était forcé à boire de l'eau de source au lieu des quatre cruchons de vin d'Aix que sa panse réclamait habituellement.

Il jeta le sac contenant les armes sur son épaule et suivit les deux femmes. En ces temps de pèlerinage, l'église de Saint-Maximin restait ouverte et il y avait sans cesse des ombres furtives se pressant contre ses flancs, de pauvres gens allant et venant sous ses porches et toute une faune redoutée.

Guillaume avait l'œil. Des femmes aux poitrines dénudées se vendaient pour quelques piécettes de cuivre. Il vit luire des regards, de la sueur entre les seins pétris par des mains. Un bougre à la bouche bée se laissait aller sur un ventre blanc, un autre savourait sa délivrance entre les lèvres d'une jeune catin. Cette dernière s'essuya aussitôt la bouche et tourna son visage vers le chapelain. Guillaume eut une moue de dégoût quand elle l'invita d'un geste lascif en remontant ses jupes.

– Chienne ! cria-t-il.

– Guillaume ! intervint Bertrane. Honte à vous ! N'êtes-vous point sur terre pour sauver les âmes ? Cette jeune fille mérite notre compassion ; nous en recevons beaucoup qui lui ressemblent à la cour d'Amour, toutes sont à la recherche de bonheur et de justice. Bénissez-la !

Guillaume blêmit. Quelque chose en lui reculait. Il voulait se précipiter dans l'église. Une sorte d'instinct le poussait à mettre le plus de distance possible entre la putain et lui. Cet instinct trouvait un appui solide en l'idée qu'il se faisait des femmes. Des créatures du Diable.

– Comtesse, nous vivons dans un temps maudit. Nous avons délivré Jérusalem pour rien. L'Antéchrist est venu qui nous éprouve avec toutes ses tentations. Jamais la Bête ne me séduira. Ne vous en déplaise, je ne commettrai pas ce péché.

– Pour l'amour du Christ, Guillaume ! Pour l'amour du Christ qui délivra Marie-Madeleine.

Guillaume se rembrunit. S'il ne s'exécutait pas, il cédait au péché d'orgueil. Jésus était l'exemple. Il contempla la jeune mécréante aux yeux chargés de cendre et, au bout du compte, ébaucha un signe de croix.

– C'est bien, dit Bertrane alors que Stéphanie glissait un marc d'argent dans la main de la fille.

C'était fait. Guillaume était débarrassé de ce fardeau ; il pouvait franchir le seuil sacré et il le fit avec empressement. Quand il se retrouva dans la pénombre de la nef, face au bénitier, il se mouilla trois fois le front, les épaules et la poitrine avec l'eau pure, puis il se laissa tomber à genoux sur les pierres froides.

L'église était bondée. Les pèlerins francs en quête de sommeil l'avaient envahie, mais là aussi le mistral régnait en maître. Il s'engouffrait par les vitraux cassés, passait sur les nuques des statues, soufflait les bougies, emportait les prières d'une poignée de fidèles tenaces en extase devant la Croix et saint Maximin. Stéphanie et Bertrane se frayèrent un chemin au milieu des corps allongés et rejoignirent le petit groupe en éveil. Elles n'aperçurent pas l'inquiétante présence d'un homme assis dans une chapelle.

Le Bâtard se dissimula sous sa cape de marchand de bois quand il les vit. Cela faisait deux jours qu'il les pistait, attendant l'heure propice pour lâcher Isembard et ses tueurs. Sur le moment, il eut un peu la frousse à l'idée que Dieu pouvait lire dans ses pensées, puis il se rassura en laissant filer les grains du chapelet qu'il tenait entre ses mains. Dieu ne voyait rien ; il était bien trop occupé avec les diableries des musulmans en Orient. Bertrane rejeta sa capuche ; ses cheveux noirs et ondulés glissèrent sur ses épaules. Son visage, blanc comme la cire la plus fine, était extrêmement beau, d'une douceur angélique, avec une bouche pareille à des pétales de rose. Ses yeux, immenses et bruns, étaient grands ouverts, presque écarquillés.

Son sang pulsa à ses oreilles. Une aigreur monta à sa gorge. Il haïssait la Signoise plus profondément qu'il ne le croyait. Il avait toujours eu peur que les femmes de Trets se plaignissent de ses exactions, que son nom fût prononcé à la cour d'Amour. Le jugement de ces femmes n'avait aucune portée juridique, mais il suffisait à détruire une vie.

– Sale *gourrino*[1] ! pesta-t-il entre ses dents.

Ce juron le libéra définitivement de ses
craintes ; il ne restait en lui que la haine nue,
semblable à une épine plantée dans son cœur. Il
avait des couilles et l'or d'Hugon, cela suffisait à
sa conduite. S'il devait un jour confesser publi-
quement ses fautes, il le ferait devant une assemblée d'hommes de sa trempe, pas face à un
ramassis de femelles délaissées par leurs époux
et leurs amants. Oui, il allait lui faire couper les
seins par Isembard et la précipiter dans l'un des
nombreux gouffres de la région.

Stéphanie se tourna vers lui ; elle ne pouvait le
voir dans l'ombre ; il baissa cependant la tête,
puis fila à croupetons vers la sortie. Stéphanie se
sentait toute drôle, comme si quelqu'un était en
train de l'observer. Elle chercha Guillaume. Le
gros chapelain émergeait au-dessus du désordre
des corps allongés. Il avait les mains jointes, ses
lèvres lippues remuaient, son regard se perdait
dans les architraves noircies par les torches. Il
était en conversation avec Dieu, comme l'était
Bertrane avec saint Maximin.

La Signoise demandait des grâces et le saint,
par la voix du mistral, lui répondait d'une bien
étrange façon. À travers les meuglements, elle
sentait la menace et il lui semblait que les yeux
de plâtre de Maximin exprimaient l'inquiétude.

– C'est donc vrai qu'il nous prépare des vile-
nies ?

Elle attendit. Le vent reprit et la flamme d'un
grand cierge qui résistait à ses assauts tremblota

---

1. Gouine.

avant de mourir. Elle y vit un signe néfaste. Elle se releva, flottante, avec le pressentiment qu'elle était proche de la mort. Quand elle croisa le regard de Stéphanie, elle comprit que la Dame des Baux ressentait la même chose.

– Nous partirons à l'aube en nous dirigeant tout droit vers la montagne. Trois heures nous séparent de la tour de Nans. On nous escortera jusqu'à la grotte de la sainte où les moines guerriers nous prendront sous leur protection.

Indifférents aux propos des Provençales, les Francs psalmodiaient leurs prières, et leurs voix pleines des brumes du Nord se chevauchaient les unes les autres, comme si elles voulaient couvrir celle du mistral. La réalité des rafales ne parvenait pas à contredire le caractère fanatique de leur démarche ; leur foi était plus grande que leur peur. C'étaient eux qui guidaient les autres qui ronflaient et toussaient dans les travées.

Bertrane songea à son époux. Le seigneur de Signes passait son temps à prier dans les couvents. Il avait clamé son enthousiasme en apprenant le désir de Bertrane de retourner chez eux humblement et sans escorte. Selon lui, c'était ainsi qu'on gagnait le Paradis, par des actes de foi, par l'abstinence, par le jeûne, et il se glorifiait de garder sa femme vierge pour l'amour du Christ.

Bertrane éprouva soudain le désir brutal de fuir ces lieux. Quand Guillaume s'étonna de cette courte visite, elle lui répondit qu'elle avait eu satisfaction et qu'il était temps de préparer les bagages.

Ils partirent avant le chant du coq. Avec eux, bon nombre de Calaisiens passèrent la porte fortifiée du village. Ces Francs saluèrent d'un *Salve Regina* la première lueur du jour à l'horizon et on vit des pèlerins tomber les bras en croix dans la poussière en remerciant le Seigneur d'être encore en vie.

Puis ce fut la séparation, brève et grave. Guillaume bénit la foule en marche pour le port de Toulon tandis que Stéphanie et Bertrane caressaient quelques têtes d'enfants perdus au milieu du troupeau. Ils se dirent adieu comme s'ils ne devaient plus se revoir ici-bas. Lorsqu'ils se perdirent de vue, il n'y eut plus d'espoir qu'en Dieu.

Guillaume soupira. À présent, ils n'étaient plus que trois sur la route de Nans et le mont Aurélien tout proche avec ses forêts de chênes lui parut infranchissable.

Isembard, en trois jours, s'était gavé et soûlé. Mais il paraissait toujours aussi maigre et pâle. Ses yeux, pareils à deux tisons rouges, et ses joues creusées, bleuies par une barbe dure, lui donnaient un air inquiétant. Il était entré en prison crotté jusqu'aux épaules, il en était ressorti crasseux, les habits déchirés, avec des envies de mordre.

— Quand on en aura fini, dit-il à ses hommes, on empochera l'argent et on filera en Italie du Sud chez les Normands.

Sur ces mots, il cracha. Il se sentait la poitrine embarrassée de tout ce qu'il avait respiré de merde et de sueur pestilentielle dans le trou où le Bâtard l'avait fait jeter.

– Je le crèverai, se dit-il tout bas en imaginant la grande carcasse du Bâtard embrochée au bout de son épée.

Méfiants, ses hommes lorgnèrent son épée qu'il agitait sans cesse. Il se mit à pester contre le soleil implacable qui montrait son museau. Il étouffait déjà sous les feuillages. Sous les chênes secoués par le vent, l'ombre retenait une chaleur de fournaise et les arômes âcres des plantes rampantes. Il tourna son attention vers une lointaine clairière coupée par une route. Il écouta, s'efforçant d'entendre chaque son apporté par les pleurs du mistral.

– Le voilà ! dit-il soudain.

À ses côtés, les hommes remuèrent, étonnés de ne rien voir, puis l'un d'eux s'exclama :

– Le Bâtard ! Par le cul du Diable ! Comment tu as deviné ?

Isembard haussa les épaules. À quoi bon expliquer à ces idiots qu'il avait un instinct de loup ?

Le Bâtard poussait sa monture au galop. Sa cape brune flottait et la grande épée byzantine attachée sur le flanc droit du cheval lançait des éclairs métalliques.

– Les autres ne vont pas tarder, dit Isembard en passant ses doigts sur le fil de son arme.

Un frisson de plaisir le dérida. Quelque chose qui ressemblait à un sourire fit un trou dans l'épaisse barbe qui cachait le bas de son visage.

– Qui veut-on nous faire tuer ? demanda l'un de ses compagnons.

– Est-ce que je sais, moi ? gronda-t-il.

Il s'en fichait. Il aurait tué sa mère pour bien peu. Un meurtre était un meurtre. Un instant d'émotion et de jouissance qui mettait vos sens en ébullition. Une tempête qui vous emportait bien plus loin qu'une éjaculation dans le ventre d'une bougresse.

Le Bâtard arrivait ; ils se montrèrent.

– Ils sont sur le chemin à une demi-lieue ! dit-il en toisant le chef de bande.

– Combien ?

– Trois. Deux femmes et un prélat. Vous me trancherez le cou de la plus jeune. Tenez-vous-en là !

Isembard acquiesça. Proie facile. Peut-être qu'on s'amuserait un peu avec elle avant de la vider de son sang. Il soutint le regard du Bâtard, se demandant pourquoi les grands chevaliers de Provence voulaient la mort d'une femme. Que cachait le front bas du maître de Trets ? Que celait cette cervelle de brute, ce cœur impitoyable, cet être étrangement semblable à Hugon des Baux ? Un souffle de vent lui caressa le visage ; il fit un signe à ses hommes et se laissa couler le long du versant jusqu'à la route.

La chaleur devint étourdissante. Entre deux rafales de vent, les cigales stridulaient et prenaient possession du ciel. Les écouter, c'était se fondre dans les coulées d'or brûlantes, au milieu des herbes jaunes qui envahissaient le chemin. À chaque pas, les insectes bondissaient. Ils picotaient les chevilles des deux femmes, sautaient au visage empourpré de Guillaume, agaçaient la mule qui rechignait à grimper.

Puis le mistral revenait et le monde alentour se soumettait. Il y avait aussi des moments de grand calme, des minutes qui n'appartenaient pas au vent, ni aux cigales. Alors les trois voyageurs pesaient le silence ; ils le mesuraient avec crainte. Surtout Guillaume.

– On n'est pas seuls, dit-il à deux ou trois reprises entre ses dents.

Bertrane et Stéphanie demeuraient sur le qui-vive, retenant leur respiration. Dans son énervement, le prieur les oppressait. Soudain, elles perçurent un bruit familier venant de la forêt. Un cheval s'ébrouait au sein des chênaies.

– Nom de Dieu ! jura Stéphanie qui troqua soudain sa peau de pèlerin contre celle du soudard qu'elle avait été pendant près de cinq ans.

– Guillaume ! mon épée !

Le gros prélat n'avait pas attendu l'ordre de sa dame. D'une main preste, il délia la corde d'un sac, s'empara de l'épée de Stéphanie et la lui lança. Elle l'attrapa au vol et baisa le quillon avant de fendre l'épais tissu de son vêtement à hauteur des jambes. Elle se sentit plus libre ; elle regrettait cependant sa cotte de mailles, son casque et son écu.

De son côté, Guillaume posa sa masse sur l'épaule. Il était interdit aux hommes d'Église de faire couler le sang. La masse enfonçait les crânes et les poitrines, brisait les membres et les mâchoires, c'était une arme qui plaisait à Dieu. Il pensa soudain à Bertrane.

– J'ai ce qu'il te faut.

Bertrane ne comprit pas. Son œil s'écarquilla quand elle vit le saint homme lui tendre un poignard.

– Prends-le, ma fille ! exigea-t-il.

Comme elle n'esquissait pas un geste, il le lui fourra de force dans la main.

– Sers-t'en, je t'absous d'avance.

– Fais ce qu'il te dit. Saigne le premier qui s'approchera de toi ! ajouta Stéphanie.

Bertrane jeta un regard désespéré à son amie. La comtesse des Baux avait le visage dur. Jambes écartées, épée pointée vers la lisière des arbres, elle attendait l'ennemi.

Le mistral tardait à se manifester. Les cigales se taisaient. Le silence était si profond et si prégnant que le temps semblait s'être arrêté. Bertrane sentait battre son cœur contre le manche du poignard. La lame brillait, prenait vie, l'horrifiait. Elle eut le sentiment que tout ce qu'elle avait entrepris pour le bonheur des hommes allait prendre fin. Elle se remémora les instants délicieux passés à la cour d'Amour. Et si tout devait s'achever ici ? Elle mesura combien sa tâche sur cette terre était encore grande. Elle prit conscience de ses erreurs. De ses désirs. Elle avait cru comprendre l'amour, en donner des définitions devant la haute assemblée des femmes de Signes. Elle, la vierge... Quelle que fût sa nature, l'amour était ailleurs et elle ne le rencontrerait jamais.

Stéphanie avança d'un pas en rejetant sa chevelure en arrière.

– Ils approchent.

Elle montra du doigt un buisson à Guillaume dont la tête dodelinait de droite à gauche. Le bedonnant prieur perçut les bruits infimes qui liaient les profondeurs de la forêt en un langage intelligible de fougères foulées et de craquements de branches.

Montrant soudain leur face de rats, les sept brigands hurlèrent tous ensemble avant de se précipiter sur les trois pèlerins. Isembard n'eut d'yeux que pour Bertrane ; il avait déjà oublié les recommandations du Bâtard. Il cria des obscénités, trébucha sur une racine, roula puis se releva. La tâche allait être facile : on allait trouer la panse du gros, trancher le cou de la femme hargneuse qui était à la tête du trio et forcer la plus jeune à ouvrir les cuisses et la bouche. Après on verrait. Une franche rigolade.

– *A l'asard Bautezar !* clama Stéphanie qui attendait de pied ferme la racaille grimaçante et braillante.

La devise aurait dû les mettre en garde, mais ils se sentaient si supérieurs qu'ils ne ralentirent pas leur course. Le premier alla droit vers Stéphanie. Il ne vit même pas l'éclair de la lame ; il sentit qu'elle lui traversait la poitrine. Le sang poissa la main de la dame et répandait déjà sa chaleur. De ce corps pantelant qui tardait à s'effondrer, Stéphanie tira la force nécessaire pour continuer. Du pied, elle repoussa le cadavre et para un méchant coup. Tout près d'elle, Guillaume ahana en bénissant un gaillard avec sa masse. La boule hérissée de pointes enfonça le front. Quand il la souleva pour frapper un autre attaquant, de petits fragments de cervelle adhéraient à l'acier de l'arme.

– Seigneur Jésus ! Ayez pitié de ce pêcheur ! cria-t-il en abaissant le redoutable balancier sur son adversaire.

C'était mal parti. Isembard révisa son optimisme en voyant trois des siens étendus raides sur le chemin. Il houspilla les survivants.

– Fatiguez-les ! Je m'occupe de l'autre femelle !

L'autre femelle, Bertrane, était demeurée en retrait. Il la jaugea rapidement. Elle était faible, ne sachant comment se servir du poignard qu'elle tenait à peine du bout des doigts. Il s'élança en poussant un cri qui venait du fond de sa gorge.

Bertrane prit peur. Stéphanie et Guillaume étaient bien trop occupés à contenir les assauts des autres bandits. Elle regarda autour d'elle, puis se mit à courir en direction de la forêt. Sa bure de pèlerin la gênait ; elle ne pouvait pas lancer ses jambes, sauter, grimper. Des ronces l'agrippèrent, lacérèrent sa peau à travers l'épaisse serge.

– Marie-Madeleine, viens à mon secours ! lança-t-elle en s'arrachant aux épines.

Elle entendit alors le ricanement d'Isembard dans son dos. Lui taillait la ronceraie avec son épée, avançant à grands pas sur sa proie dont il devinait les formes sous le grossier vêtement. La femme parvint à la lisière de la forêt, mais il était déjà sur elle.

– Tu es à moi ! beugla-t-il en plissant ses yeux où s'inscrivirent des désirs de bête.

Ce cri la paralysa. Elle essaya de se jeter dans l'ombre de la chênaie, mais la force lui manqua. Elle trébucha, tomba en avant, rampa sur l'humus odorant. Elle répéta le nom de la sainte qui veillait au sommet de la montagne proche, mais aucune aide ne lui vint du ciel qu'elle entrevoyait à travers les feuillages.

La main d'Isembard se tendit ; les ongles chafouins se saisirent de la longue chevelure brune et la tirèrent pour dévoiler le visage.

– Ah ! souffla-t-il en découvrant la beauté des traits, la bouche sensuelle qui tremblait, les yeux immenses et noirs où perlaient des larmes pareilles à des gouttes de rosée.

Elle pointa le poignard avec une gaucherie de page. Du poing fermé sur le manche de l'épée, il écarta cette lame dérisoire qui sauta de la main de Bertrane. Il jouissait déjà. Ses lèvres rejetèrent une écume blanche, la pudeur excessive qui mouillait les yeux hagards de sa proie ne faisant qu'augmenter son désir.

– À moi ! cria-t-elle.

– C'est ça, ma belle, crie ! crie !

Il ne pensait plus aux autres qui bataillaient dans la garrigue. Toute la violence montait par brusques saccades jusqu'à son ventre. Se séparant de son épée, il parvint à immobiliser complètement Bertrane sous lui. Ses mains palpèrent les seins avant de les dénuder rageusement. Sa bouche s'acharna à trouver celle de la femme, mais cette dernière se dérobait par de rapides mouvements de côté.

– Tu vas y passer !

Isembard avait ses méthodes. Quand il ne pouvait parvenir à ses fins, il assommait ses victimes. Il se dit que ce serait dommage d'abîmer un si beau minois.

À un moment, étrangement, elle cessa de se débattre. Son visage de porcelaine d'une pâleur de morte se figea. Isembard triompha. Dans son excitation, il ne vit pas l'ombre s'étendre au-dessus de lui, ne s'étonna pas de la fixité du regard de la femme. Il se redressa pour remonter la bure sur les cuisses. Tout allait se dérouler très vite à présent. La pénétrer d'un coup de reins. L'entendre hurler. Se libérer dans les chairs violentées. L'étrangler...

Juste avant de la forcer, il resta comme suspendu dans les airs, arqué sur le ventre blanc qui palpitait, une main pressant son gland contre la toison brune, mais il ne s'abattit pas en elle, il n'en eut pas le temps. Quelque chose pénétra dans son dos. Quelque chose de froid se fraya un chemin entre ses côtes, sonda ses poumons et toucha le cœur. Brusquement la douleur s'étala en lui, lui arracha un gémissement, puis le fer qui le torturait perça le cœur.

Isembard s'affaissa doucement sur le côté.

– Ce chien méritait bien plus.

Bertrane avait toujours le regard fixe. La brute qui venait de la sauver essuya la lame de son épée sur son haut-de-chausses. La peur la tétanisait encore. Elle connaissait ce chevalier mais elle ne pouvait mettre un nom sur son visage.

– Vous ne m'avez jamais vu, ajouta-t-il avec dépit.

Le Bâtard ne savait pas ce qui l'avait poussé à agir ainsi. Il avait assisté à la poursuite, contemplé sans faillir Isembard se livrant à ses pourritures. Tout se passait comme il le prévoyait. Puis il y avait eu cette bouffée de chaleur dans sa poitrine ; la honte montant en lui. On ne pouvait salir ainsi la Dame d'Amour. Ce qui restait de son âme chevaleresque se rebella à l'idée de ce viol. La Dame de Signes était adorée, chantée pour sa vertu. L'honneur commandait de se comporter comme un preux de la Table ronde.

Maintenant, il ne savait plus où il en était. Il pensait aux marcs d'or, à Hugon. Peut-être fallait-il achever le travail d'Isembard pour le bien de la Provence.

– Vous êtes... le... seigneur de Trets ?

Elle se souvenait de lui ; il avait gagné un tournoi à la mêlée à Marseille ; elle se le rappelait comme un tourbillon, fracassant ses adversaires, poussant son cheval pinchard sur les hommes tombés à terre. Il avait une réputation effroyable.

– *Maougrabiou !*[1] jura-t-il soudain.

Le mal le gagnait. Il était prêt à la frapper. Il lança soudain son épée sur un arbre, l'écuissant proprement. Puis il se détourna de Bertrane.

Quand Stéphanie la retrouva, la Dame de Signes tremblait. Au premier coup d'œil, Stéphanie vit que ce n'était pas le poignard de son amie qui avait fait cette plaie béante dans le cadavre d'Isembard. Aux questions de son aînée, Bertrane ne répondit pas. Le Bâtard ne l'avait pas sauvée, mais épargnée ; elle en était consciente. Et parler du Bâtard, c'était dénoncer Hugon, car nul n'ignorait que les deux hommes étaient liés par des pactes secrets.

Bertrane se tut par amour et compassion, et lorsqu'elles rejoignirent Guillaume qui inspectait les corps ennemis, elle feignit reconnaître l'un d'eux, un voleur que son époux recherchait depuis longtemps.

À Nans, on alerta le viguier. Puis ce furent les moines blancs de la Sainte-Baume qui escortèrent les pèlerins jusqu'à Taillane, frontière naturelle derrière laquelle s'étendait le territoire d'Amour.

---

1. Male peste !

CHAPITRE V

Guillaume s'imaginait déjà dans les cuisines du manoir. Son ventre gargouilla à l'idée d'une tranche fumante de mouton grillé sur son lit de lentilles relevées d'une pointe d'ail. Dans moins d'une heure, il allait s'ébaudir face aux tonneaux de vin avant de se remplir la panse. Il en connaissait le goût un peu âpre. À sa dernière visite, il en avait tant bu que ses joues et son nez n'avaient pas désenflé pendant un mois.

Insensiblement, il allongea le pas, distançant un peu les deux femmes qui ne risquaient plus rien. C'était une région paisible, surtout depuis la disparition des Sarrasins.

– Vois ! vois, les étourneaux ! s'écria Stéphanie.

Par dizaines, les oiseaux quittaient les cépées. Après un vol diagonal, ils disparurent derrière les traits épais d'une houssaie. La Dame des Baux sentit son cœur battre plus fort. C'était un très bon présage. On associait les étourneaux aux pierres vertes, à l'amitié et à la convivialité. On disait aussi qu'ils protégeaient la chasteté ; Bertrane en éprouva de l'amertume. Elle avait tant entendu les autres femmes parler des plaisirs des sens. Au loin, se dressait le Château-Vieux dans lequel s'enfermait et priait Bertrand. Elle se demandait souvent s'il comprenait quelque chose aux vertus qu'il prêchait sans arrêt. La chasteté dans son sens le plus absolu ? Mais c'était exactement ce qu'elle pratiquait depuis ses premières règles ! Se rendait-il compte qu'elle était la vivante réincarnation des saintes adorées dans les couvents ? Elle ferma les yeux ; il y avait des jours où elle aurait aimé qu'on dise d'elle : « *Es une dévergougnado !* » Oui, une vraie dévergondée, une de ses filles qui se vautrent dans les bordels.

Elle se mit à rougir. Quand elle rouvrit les yeux, des hommes couraient vers les houssaies. Ils pourchassaient les étourneaux pilleurs. Rien n'arrêtait les paysans de Signes. L'enthousiasme les habitait. Ils allaient aux champs comme à une fête. Contrairement à leurs frères des terres voisines, ils ne tenaient pas de chasement. Bertrane l'avait exigé : pas d'hommes chasés sur son territoire. Il lui aurait été impossible de vivre au milieu de serfs soumis à des corvées telles que le fournage et de très fortes redevances pour la clôture et la garde des châteaux. Ses paysans étaient libres ; ils exploitaient leurs tenures en payant la tasque, impôt égal à un peu moins du quart de leurs récoltes, et ils jouissaient du droit d'esplèche par lequel leurs troupeaux pouvaient pâturer librement. Bertrane, par sa volonté, avait contraint Bertrand à étendre ce droit à la glandée, à la coupe du bois de chauffage et à la chasse.

– Je sens que je vais revivre. Quel beau pays ! dit Stéphanie en prenant la main de son amie.

L'écheveau des cultures claires s'étendait dans

les vallées, sur la plaine, sur les restanques pareilles à des marches pour géant taillées dans les flancs des collines. La conquête du sol vierge avait été retardée pendant des siècles, mais la Trinité éternelle avait délivré la Provence de l'oppression des païens et les hommes s'étaient mis au travail. Stéphanie se fit une idée du Paradis en longeant les eaux claires et joyeuses du Figaret. Le mistral n'avait pas daigné se lever avec le soleil et, sous l'effet de la chaleur, tout tremblait et ondulait, faussant la vision des pèlerins. Leurs yeux à demi fermés filtraient les bandes aveuglantes des champs d'orge et de froment. Les oliviers, en rangs serrés, arrondissaient leurs feuillages d'argent au-dessus du ruban caillouteux de la route, et Stéphanie avait l'impression que des anges veillaient là sur les paysans qui fouissaient, le dos courbé, en ramenant la terre entre leurs jambes.

Soudain, l'un des Signois reconnut sa Dame.

– Bertrane ! Bertrane est revenue, cria-t-il. Loué soit Jésus !

Les uns laissèrent tomber les houes, les autres rejetèrent leurs luchets. Ils se précipitèrent au-devant d'elle, poussant des cris de joie, baisant le bas de sa robe. Alors la Dame de Signes eut un sourire, des mots pour chacun d'entre eux.

Fière d'être leur dame. Fière de les protéger. Fière de ces gens, les siens, qui luttaient pour la vie et pacifiaient le monde livré aux ronces et aux orties. Elle était fière de son fief comme jamais seigneur ne l'avait été depuis sa fondation en 949, deux siècles plus tôt. Plus elle se rapprochait du nouveau village construit en bordure de la plaine, plus les appels se multipliaient : « Bertrane est

parmi nous ! Dieu nous la ramène ! Alléluia ! »
Bientôt, les cloches de la chapelle Saint-Jean et
celles de l'église Saint-Pierre sonnèrent à toutes
volées. Quand les flancs du gros bourdon se
mirent à vibrer, tous les cors des hommes
d'armes lui répondirent. On descendit de la Lauzière, de Meynarguettes, de Beaupré et de la
Jaconniaire avec enfants, bêtes et fleurs. Par centaines, ils affluèrent le long du Figaret où les
moulins à huile et à grains faisaient comme un
rempart le long de la rivière. Quand on sut que
la célèbre Stéphanie des Baux et son chapelain
accompagnaient la Dame de Signes, la bouscu-
lade fut à la mesure de l'événement. Stéphanie
s'installait à la cour d'Amour. Ils jugeaient que
sa présence allait leur être profitable. Ils clamèrent son nom. Elle abaissa alors sa capuche,
retira son peigne, et secoua la tête d'un mouvement brusque déroulant les anneaux d'argent de
sa chevelure. Ce n'était plus la guerrière devant
qui tous s'écartaient, mais la femme dans toute
la beauté de la quarantaine, la mère ouverte aux
cœurs des mères. Du reste, elle enveloppait tout
maintenant d'un regard tendre, accueillant d'une
caresse les fillettes aux bras chargés de bouquets
de jonquilles.

— Je voudrais que ce jour ne finisse jamais, dit-
elle à Bertrane.

— Je ferai en sorte que tous les jours se ressemblent, que l'automne et l'hiver à venir nous soient
doux. Nous accueillerons les opprimés, les faibles ; l'amour sera notre credo, et chaque pensée,
chaque acte, chaque désir de la Cour en sera le
reflet.

Bertrane était sincère. Au fur et à mesure

qu'elle se rapprochait du manoir, le calme descendait en elle. Le village la prenait. Les murs des maisons serrées aux tuiles rousses étaient chauds comme le sable d'une plage. Sous les chaperons, les pigeons roucoulaient ; les hirondelles allaient d'un toit à l'autre en poussant leurs cris aigus ; une odeur de figue, de pain, de thym et de fenouil envahissait les venelles étroites. Signes s'étirait d'est en ouest au milieu d'une mer blonde de blé et une sensation suave pénétrait Bertrane jusqu'à l'enivrement.

Guillaume apprécia cette langueur après le quatrième gobelet de vin. Les gentils Signois venaient à lui avec pichets et outres et le conduisaient avec des délicatesses d'ange en flattant son gosier. Entouré, choyé par la foule, il grimpa allégrement la rue du Portail, précédant Bertrane et Stéphanie. Il avait oublié ce qu'il redoutait et il avançait sans même s'inquiéter du chant qui parvenait à ses oreilles. Peu à peu, les deux tours du manoir grandissaient et le chant s'amplifiait. C'était un château tout blanc dont les fortifications n'auraient pas résisté plus d'une heure à un assaut. C'était un chant d'amour provençal fait de tendresse et de passion, porté haut par des voix de femmes conjuguant à tous les temps les verbes s'amouracha[1] et calegna[2].

Guillaume les vit soudain dans le flamboiement du soleil. Son œil cligna, son front se plissa et il se signa. Elles étaient huit devant la double porte du manoir. Leurs chants blessèrent sa pudeur. Il ne pouvait pas fuir, elles le tenaient déjà dans les

---

1. S'éprendre.
2. Courtiser.

73

lacets de leurs regards et il se laissa pousser vers elles comme une brebis tremblante. Ah, Seigneur ! Comme il craignait ces tentatrices qu'il connaissait bien pour les avoir côtoyées à plusieurs reprises : Adalarie, la très riche vicomtesse d'Avignon ; la grosse Alalète d'Ongle ; Delphine, la terrible comtesse de Dye ; Rostangue, l'intrigante dame de Pierrefeu ; la sage Hermissende de Posquières ; la douce Mabille d'Yères ; l'insignifiante Bertrande d'Urgon et la très espiègle Jausserande de Claustral.

– Bénissez-moi, mon père, lui demanda cette dernière d'un air coquin qui le mit aussitôt mal à l'aise.

Craignant la dérision et le sarcasme, il s'exécuta.

– Votre voix chevrote et votre main tremblote, mon père, ironisa Jausserande en le contemplant avec un étonnement feint.

Elle avait le minois taché de points de rousseur, le nez pointu, des lèvres renflées et des dents faites pour déchirer. Elle portait une vague odeur de lavande et de musc et s'habillait à la manière des femmes d'Orient depuis que sa famille trafiquait avec les marchands de Marseille et d'Antioche. Tout en secouant sa tête de rousse, elle se mit à rire avant d'imiter ses aînées qui, d'un même mouvement, s'étaient précipitées audevant des deux pèlerines.

Bertrane et Stéphanie s'élancèrent à leur tour et les Signois, figés, contemplèrent ces femmes d'une incomparable beauté qui, sous leurs sandales légères, faisaient s'égrener la poussière du chemin en un nuage d'or. La comtesse de Dye fut la première à congratuler les voyageuses. Son grand âge lui donnait cette priorité. On chuchotait qu'elle avait plus de soixante-dix ans, mais personne jusqu'à ce jour ne s'était risqué à lui demander son âge. Elle en imposait trop ; ses jugements étaient sans appel et elle contraignait souvent les fautifs à des pénitences corporelles. Son visage ne se dérida pas quand elle reçut le baiser de Bertrane. Osseux et pâle, il paraissait taillé dans de la pierre dure et ses petits yeux noirs et sévères se livraient à une inspection en règle.

– J'ai cru vous perdre ! On racontait la dévastation des villes, l'incendie des campagnes, les armées ennemies aux portes de Marseille et les populations rejetées à la mer. J'ai eu la vision de vos corps se tordant dans les flammes d'un bûcher gigantesque allumé avec les bannières de Provence...

– C'est en paix à présent, la coupa Stéphanie. Il n'y a pas eu de massacre, pas de population noyée, pas de bûcher, nous avons perdu une bataille et la guerre et nous sommes entières, décidées à faire entendre raison à ceux qui menacent l'avenir de nos enfants.

– Et ton fils ? demanda sèchement Delphine de Dye.

– Il est vivant, balbutia Stéphanie.

Delphine hocha la tête. Ce n'était pas une bonne nouvelle. Elle aurait préféré le savoir mort, dépecé par les corbeaux et rongé par les chiens, mais on ne pouvait en demander trop à la Divine Providence. Sur le coup, elle prit un air farouche. La courbe impérieuse de ses lèvres fines se plissa et elle revint sur ses pas, laissant ses sœurs fêter le retour des aventurières. Son départ ne choqua ni Bertrane ni Stéphanie ; elles étaient habituées à la froideur de Delphine. Les autres s'écartèrent et les Signois virent cette haute silhouette s'en aller, la tête fièrement dressée, comme tirée en arrière par la longue tresse blanche tranchant sur le noir de la robe soyeuse rehaussée de bandes argentées.

Delphine partie, les rires éclatèrent. Jausserande de Claustral était la plus gaie. Par six fois, ses baisers sonores claquèrent sur les joues de Bertrane.

– La vieille corneille s'en est allée ruminer son dépit. Nous allons boire et danser à présent.

– Jausserande ! Comment peux-tu être aussi dure avec Delphine ?

– C'est un monstre ! Pendant ton absence, elle a dénaturé notre Cour. Elle a renvoyé les pauvres paysannes battues par leurs maris sans rendre de sentence. Son seul souci était de flatter les grandes de ce monde ! Son cœur aigri est *coum une tarren espuisa que pouerto plus*[1].

Jausserande s'enflammait. Elle avait une beauté hardie, très animale. Aussi mince que Bertrane, elle paraissait plus vivante. Elle gesticulait au milieu des dames réservées, ses bracelets d'or sonnant à ses poignets, ses cheveux de feu battant ses épaules découvertes où les taches de rousseur apparaissaient plus nombreuses, pareilles à des amas d'étoiles sombres sur une peau nacrée. Par son père, seigneur d'Evenos, elle descendait des sauvages Ligures ; sa mère était Normande de Sicile, d'un clan qui avait ravagé l'Angleterre puis

---

1. Comme une terre effritée qui ne produit plus.

le sud de l'Italie, avant de partir à la conquête de Jérusalem sous le commandement du comte Tancrède. Elle vivait depuis trois ans à la cour d'Amour et nombreux étaient les chevaliers qui succombaient à ses charmes. On lui connaissait des amants célèbres. Certains s'étaient affrontés à mort pour ses yeux félins dans lesquels brillaient toutes les promesses d'amour. Mais si elle se donnait aux plus méritants, elle refusait l'anneau qu'ils voulaient lui passer au doigt. « Je me marierai, disait-elle, au meilleur chevalier du monde. » Tout homme portant les armes, qu'il soit Espagnol, Breton, Franc, Teuton ou Lorrain rêvait d'être l'Élu. Depuis plus d'un siècle, la légende courait d'un bout à l'autre de l'Europe : « Le meilleur chevalier du monde serait celui qui retrouverait le Saint-Graal. »

– Elle m'a traitée de catin ! poursuivit Jausserande. Elle est jalouse de mes conquêtes. Pfttt ! Qui voudrait de cette truie décatie ? Je te le demande. L'âge rend les gens bêtes et méchants...

– Tu devrais agir avec plus de mesure, dit Bertrane. Ne pas t'afficher aux banquets avec tes amants. Delphine a perdu sa jeunesse, ta beauté l'offense.

– La tienne aussi ! répliqua la rouquine. N'as-tu jamais remarqué l'œil torve qu'elle pose sur ton corps quand tu te rends aux bains ?

Bertrane ne répondit pas. Elle avait remarqué le regard de Delphine, le lourd reproche qu'elle sentait poindre sous les cils, l'envie et le mépris. Quelquefois la comtesse de Dye la flattait, mais elle savait que c'était menterie.

La beauté était difficile à porter. À Signes, on disait « la belle rouquine », comme on disait « la

belle Bertrane ». Cela les opposait et les rapprochait, les forçait à soutenir leur renommée devant
toute la noblesse provençale, n'en déplaise à Delphine de Dye.

Le babil de Jausserande ne tarissait pas ; cependant Bertrane n'en faisait plus cas. On grimpa
encore. Le féerique château des Dames épousait
étroitement les restanques ; ses pierres blanches
émergeaient au-dessus des talus cinglants de
broussailles et des oliviers centenaires aux reflets
de bronze. Les murs crénelés descendaient la colline des Hautes-Côtes avec leurs tourelles, leurs
oriflammes aux couleurs de l'arc-en-ciel. Çà et là,
des grappes de jacinthes roses et mauves jaillissaient par dizaines de cette corne d'abondance
dressée au pied de la Sainte-Baume.

Guillaume se signa. C'était le château de tous
les péchés. Le *De Profundis* et les six autres
psaumes de pénitence bourdonnaient dans sa tête
étourdie par le vin et le parfum sucré des fleurs.
Il revoyait tout ce qu'il avait fait, tout ce à quoi
il avait assisté : les pèlerinages, les assauts, les
ravages, les tortures, les conversions en masse
tanguaient dans sa mémoire. Il avait marché
jusqu'à Jérusalem en 1130, croyant trouver le
Paradis, et son désenchantement avait été à la
mesure de ses découvertes. Les chroniques de
Foucher de Chartres se vérifiaient d'Edesse à
Gaza : les Occidentaux étaient devenus des Orien-
taux. Les Provençaux et les Français d'hier
étaient à présent Galiléens ou Palestiniens. Les
croisés avaient oublié leur pays d'origine, pris
pour femmes des Arméniennes, des Arabes et des
Turques ; ils n'étaient plus chrétiens. Guillaume
se signa encore. À la place du manoir, il revit des

champs de citronniers, des pasteurs avec des chèvres sur des montagnes pelées, et son cœur
bondit pendant quelques secondes en imaginant
une autre Jérusalem, idéale, immaculée, vidée de
ses marchands et des infidèles qui infestaient ses
murs. Puis les rires des femmes lui parvinrent.
« Accordez-moi le pardon, doux sire Jésus, car je
pense beaucoup à mal. »
À la cour d'Amour, il avait vu l'animal humain
sous son pire jour et il ne souhaitait plus revivre
cette expérience.

Plus personne ne prêtait cas à sa présence.
Insensiblement, il s'écarta du sillage des robes.
Ne pas pénétrer dans le manoir devenait une
absolue nécessité. Il se laissa distancer, puis
absorber par les joyeux Signois. Au milieu des
drôles, il se fit petit. Un garçonnet qui le regardait de ses gros yeux curieux lui donna une idée.

– Tu m'as l'air bien dégourdi.

L'enfant cligna des paupières, jaugeant le gras
bonhomme d'un coup.

– Veux-tu me rendre un service ? poursuivit
Guillaume.

– *Quan mi dounas de touerni ?* [1]

Une rougeur monta à la face du chapelain. Ce
petit morveux demandait salaire, alors qu'il
aurait dû s'agenouiller et baiser le bas de sa bure.
Il regrettait de ne pas être seul avec cette graine
de canaille ; il l'aurait battu. Guillaume ne répon-
dant rien, le garçon haussa les épaules et s'en alla
rejoindre les siens. Il n'avait pas fait trois pas que
déjà Guillaume l'avait rattrapé.

----

1. Que me donnez-vous en retour ?

– Tu vas entrer dans le château et dire à la Dame de Signes et à la comtesse des Baux que le chapelain Guillaume s'en est allé à la forteresse de sire Bertrand.

L'enfant acquiesça car dans la main de Guillaume brillait un sou melgorien tout neuf. Il subtilisa ce petit soleil de cuivre d'un geste si prompt que le chapelain en resta bouche bée. Décidément le monde avait bien changé. Tout en reprenant le chemin de Château-Vieux, le pauvre Guillaume songea aux millions de prières nécessaires pour la sauvegarde des âmes et il se mit à réciter un premier *Notre Père*.

Bertrane et Stéphanie ne le virent pas disparaître. Le ravissement les prit sous le haut porche du château des Dames décoré de roses et de lauriers. Leurs poitrines se soulevèrent à la vue des lettres gravées sur le fronton :

Amour divulgué est rarement de durée

La cour intérieure ressemblait à une ruche ; il y avait là une bonne quarantaine de pucelles et autant de petits pages réunis autour de longues tables chargées de victuailles. Des voiles bleutés flottaient le long d'un perchis doré devant lequel un orchestre attendait le signal d'une dame. Il vint d'Alalète d'Ongle qui menait le cortège. Aussitôt, vielles, bombardes, syrinx et tambours s'unirent pour un air de branle.

Il y eut des applaudissements. Les demoiselles de compagnie aux doux minois entourèrent les arrivantes. Bertrane se laissa embrasser par les jouvencelles parées de leurs plus beaux atours.

Le fard avivé par la lumière brutale de midi rehaussait la finesse de leurs traits, la cendre sur les paupières alourdissait leurs regards et, sous les frisons de leurs cheveux noués en torsades, brillaient des perles d'Orient. Elles portaient aux bras et aux chevilles une telle abondance de bracelets qu'à chacun de leurs mouvements on croyait entendre le tintement des rayons d'or que le soleil faisait naître sur leurs peaux blanches.

Une jeune fille tendit un linge mouillé et parfumé à Bertrane.

– Douce Dame, c'est bonheur que de vous revoir. Prenez ce linge, goûtez l'eau de votre source afin d'oublier l'amère douleur de la guerre fratricide qui nous a opposés aux Catalans. Reprenez place parmi nous et apprenez-nous encore à servir loyalement l'amour pour que nos vies parviennent à une fin bienheureuse.

Ce fut à cet instant que Bertrane prit conscience de l'espoir qu'elle représentait. Il y avait toutes ces filles et ces femmes de Marseille, Toulon, Cuges, Evenos, Cassis autour d'elle, et tous ces gens au-delà des remparts, au-delà des montagnes et des fleuves, qui rêvaient de paix et d'amour. Elle se devait de les contenter. Quand elle sentit la fraîcheur du linge sur son visage, lorsqu'elle but le vin miellé des Chartreux, que les vierges de la Sainte-Baume posèrent sur son front une couronne de fleurs blanches et que fut déployée la bannière au cygne, elle redevint la reine de la cour d'Amour.

Chapitre VI

Au premier coup de tonnerre, Bertrane se redressa et soupira. Elle échappait à son rêve. Toujours le même. Un inconnu la ployait entre ses bras, lui découvrait les épaules et l'embrassait dans le cou. C'était confus, c'était chaud. À la vue de sa couche toute froissée où elle passait seule ses nuits, sa gorge se noua. Elle eut une pensée pour Bertrand calfeutré dans la forteresse de Château-Vieux et, le temps d'un souffle, elle lui en voulut au point de souhaiter sa mort. Son époux priait, priait et priait, encore et toujours, de matines à complies, refusant le péché. Son époux redoutait le désir, au point, disait-on, de se flageller quand son corps affaibli résistait mal aux besoins du ventre.

Un éclair tomba tel un trait de feu sur la Sainte-Baume et toute la chambre en fut illuminée. Bertrane plaqua ses mains sur sa poitrine et ferma les yeux.

– Pardonnez-moi ! Pardonnez-moi !

Elle lança son appel à tous les saints, honteuse de son état, des mauvaises pensées qui l'agitaient nuit après nuit. Le fracas de l'orage la défit de ce joug. Il y eut un bruit de vagues. Spontanément, la pluie dressa un rideau opaque entre le château des Dames et la montagne. Bertrane quitta la couche et alla à la fenêtre. Un vent furieux faisait battre le volet de bois. Elle espérait trouver là un peu de fraîcheur, mais les gouttes étaient tièdes. Elle offrit son visage à la tempête qui annonçait la fin de l'été torride. Cela faisait un mois qu'elle avait repris en main la cour d'Amour. Un mois terrible. Passé à résoudre le cas de la reine régente de Jérusalem, Mélisende. On avait eu de nombreuses disputes à son sujet ; des messagers arrivant d'Orient rapportaient que le cœur de la reine s'était tari à force de désirer le pouvoir. Elle s'était alliée à un méchant homme, le connétable Manassé d'Hierges, pour garder le trône. Baudouin III, son fils, hésitait encore à lutter contre elle ; il l'aimait toujours et trop, selon son entourage, mettant en péril les conquêtes franques du Levant. C'était ce même entourage qui avait fait appel à la cour d'Amour de Signes afin de réconcilier la mère et le fils.

Bertrane essaya d'imaginer à quoi ressemblaient ces deux-là. Comment était-il possible de ne pas s'aimer en Terre sainte ? Il aurait suffi d'un peu de sable de Judée pour effacer toute trace de haine, quelques grains dorés foulés par le pied de Jésus jetés aux yeux de ces égarés. Elle croyait aux vertus des éléments.

Une bourrasque l'enveloppa. L'eau débouquait du ciel en torrents, frappait, criblait la terre. La jeune femme s'offrit un peu plus aux gouttes qui fourgonnaient durement sa peau.

– Madame ! Madame !

Alix, une demoiselle d'Avignon attachée à son

service, se tenait sur le seuil de la chambre, affolée. Bertrane se retourna. Elle était toute mouillée. Ses seins et son ventre transparaissaient sous le lin de la longue chemise qui lui descendait jusqu'aux pieds. Son visage rayonnait ; elle était ailleurs et il lui fallut un bon moment avant de franchir le vague abîme qui la séparait de l'intruse.

– Ce n'est point raisonnable ! lança Alix. Vous voulez attraper le haut mal de poitrine ?

– Chère Alix, je n'ai pas encore l'âge d'être raisonnable. Voudrais-tu me voir vieillir au coin du feu comme la comtesse de Dye ? Les rêves des gens raisonnables sont fades. Sans doute soupirent-ils sur leurs couches alors que les rides creusent les recoins de leurs bouches et de leurs yeux.

– Sans doute ! Sans doute ! répondit Alix qui cherchait à protéger sa dame avec une couverture.

– À quoi bon, puisque je vais prendre le bain. Allons, petite sotte, laisse donc l'eau du ciel sur ma peau. C'est une eau de pleine lune, la meilleure pour le teint.

Alix n'en croyait pas un mot. La Dame de Signes avait certes la plus belle des carnations, mais il était grand temps de la sécher.

– Et moi je ne veux pas vous voir avec une figure bilieuse !

De bonne grâce, Bertrane se prêta aux frictions de sa servante. Puis, ayant revêtu une chemise sèche, elle la suivit à travers les couloirs du château tout bruissant des chuchotements des femmes.

Pas d'armes sur les murs, mais des tresses de lavande, des bouquets de thym, des fleurs qui mélangeaient leurs parfums. Vraiment il y avait ici quelque chose de paradisiaque. Les dames de Provence avaient restitué, perdu qu'il était sous les siècles d'ignorance et de barbarie, l'idéal féminin. Bertrand Ier de Signes ne s'y risquait jamais, pas plus que les barons du Castelet, de Méounes ou de la Cadière. En dehors des périodes de tournois, les seigneurs de la guerre préféraient passer au large de la Cour, traversant les vallées embrumées par les dégorgements des nuages sombres et bas, et les plateaux arides livrés aux loups. Les villages de la Sainte-Baume, reconnaissant le bon droit de la Cour, étaient prêts à soutenir jusqu'au bout ces femmes, à tout braver, considérant ce havre de paix comme la sauvegarde de leur liberté.

Bertrane n'ignorait rien de la responsabilité qui pesait sur ses épaules. Elle percevait la lointaine fureur des hommes, des croisés et des infidèles, le choc des armes à quelques journées de cheval, les discours enflammés des évêques. L'équilibre était fragile, toujours menacé. Parfois même, les moines de Marseille venaient provoquer les dames, évoquant l'Enfer et la damnation. Une vraie conversation de sourds. Les religieux ne cessaient de parler le langage de la peur, une peur forcenée, furieuse, atroce. Quand ils s'avançaient vers le château, les mots « péchés », « perdition » remplissaient leurs bouches, les signes de croix pleuvaient sur leurs poitrines. Ils montraient des hosties aux dames avant d'être rossés et chassés par les Signois. Un jour, elle en était certaine, ces corbeaux en bure parviendraient à leurs fins, et le château des amours serait rasé.

À cette idée, Bertrane pâlit. Elle aurait voulu

être libre et pure comme l'eau qui jaillissait sous les courtines et dans les salles basses. Par bonheur, Alix ne remarqua rien. Précédant sa maîtresse, elle emprunta un étroit escalier tournant qui s'enfonçait dans les entrailles du manoir. On entendait clairement couler l'eau dans les fontaines. Peu à peu, le bruit des cascatelles recouvrit le son de leurs pas. Par un savant système de canalisations emprunté aux Romains, la source de Cibo avait été captée. Elle réapparaissait entre les lèvres de marbre des poissons sculptés au-dessus de bassins dont le plus vaste occupait presque tout le soubassement d'une tour carrée.

Bertrane et Alix s'immobilisèrent sur le bord de ce petit lac tapissé de pierres vertes. L'onde était si limpide que les flammes des torches tremblaient jusqu'au fond, arrachant de minuscules éclats d'or aux cailloux striés de quartz. Soudain, elle se troubla, des paillettes lumineuses glissèrent autour d'un corps d'une blancheur de lait. C'était Jausserande. La jeune fille qui jusqu'à présent s'était tenue dans la partie la plus sombre et la plus chaude du bassin nageait vers les arrivantes. Elle était nue. Ses cheveux, pareils à des algues, flottaient dans les remous qu'elle provoquait à chacun de ses mouvements. Quand elle fut proche, elle se retourna, offrant ses formes juvéniles aux regards de la dame et de la servante. Dans l'ondoiement doré, sa peau paraissait sucrée et douce comme du miel. On devinait à peine le galbe de ses seins et les poils follets de son ventre. Elle aurait été l'innocence même s'il n'y avait eu ses yeux malicieux sans nulle ombre de décence.

– Viens me rejoindre, l'eau est tiède, dit-elle en l'invitant d'un geste gracile.

À cet instant, comme pour prouver ses dires, deux servantes apparurent dans l'encadrement d'une porte d'où s'échappaient des fumerolles. Elles portaient péniblement un chaudron contenant une émine[1] d'eau bouillante qu'elles versèrent dans le bassin. Deux autres les suivirent, puis deux autres encore.

– Allez, viens !

Jausserande s'étira, roula à la surface de l'eau avant de plonger vers les profondeurs. Pendant un moment, Bertrane suivit cette naïade du regard, éprouvant toutes sortes de sentiments contradictoires, puis elle se dirigea vers la porte derrière laquelle venaient de disparaître les servantes.

– Méfiez-vous d'elle, chuchota Alix, c'est une *lurouno*[2].

Bertrane sourit. Jausserande aimait les plaisirs, tout le monde savait cela. On disait qu'elle avait perdu son pucelage à douze ans, rendu fou d'amour un écuyer qui était mort de ses blessures après le jugement de Dieu qu'elle lui avait imposé par caprice, que l'évêque Léon de Marseille s'était damné tout un été dans sa couche. Mais Bertrane prenait ces révélations pour des racontars.

Elle repoussa le lourd battant de la porte. Aussitôt d'épaisses volutes de vapeur l'enveloppèrent. Elle aimait cet endroit tout en longueur, au fond duquel une immense cheminée avalait d'heure en

---

1. 38,5 litres.
2. Une grivoise.

heure vingt brassées de bois. Il y régnait une chaleur intense. On y voyait à peine à deux pas. Elle se cogna à une demoiselle de Jausserande occupée à masser une femme allongée sur une pierre de marbre. La demoiselle s'inclina avant de reprendre sa tâche. La sueur qui coulait de son front mouillait de gouttes larges la tunique légère qui collait à sa peau. Bertrane s'avança. Il régnait une forte odeur de cade. Les femmes se servaient de cette huile de genévrier pour lustrer leur chevelure. Dans un coin, penchée au-dessus d'un baquet, Adalarie, la vicomtesse d'Avignon, procédait à ce rituel, trempant ses cheveux dans un mélange d'eau froide et d'huile. Plus loin, deux autres femmes accroupies dans une vaste cuve de bois s'étrillaient mutuellement le corps tandis qu'une servante versait de la cendre sur leurs épaules. Cela paraissait irréel. À travers la buée, l'incendie de l'âtre gagnait toutes ses chairs humides, dévorant dans une couleur de cuivre ce qu'il ne pouvait prendre entre ses flammes.

Bertrane s'approcha du feu. De hautes spirales de fumée montaient des chaudrons suspendus à des chaînes. Elle recula aussitôt comme frappée par la violence de la chaleur. Son cœur se mit à battre fort et il s'emballa quand elle relut pour la millième fois la dix-neuvième maxime du code d'amour gravée sur les pierres noircies du fronton :

L'amour qui s'éteint tombe rapidement,
et rarement se ranime.

– Qu'as-tu ? Tu as vu Rafanhauda ?
Bertrane sentit la confusion l'envahir. Jausse-

rande, couverte d'un linge, l'examinait. Derrière elle, trois servantes attendaient son bon vouloir.

– Mais non... Que vas-tu imaginer ? Jamais la Bête noire ne résisterait à un feu pareil, répondit Bertrane.

– C'est un feu d'amour, enchaîna Jausserande qui semblait deviner les tourments de son aînée. Les servantes rirent. Bertrane les envia. Elle enviait les gestes simples, les désirs simples, les amours simples. Elle aurait voulu naître dans une masure et être mariée à un solide et bon paysan. Non pas à ce Bertrand avec qui on l'avait associée par intérêt !

Comme si elles comprenaient le cheminement de ses pensées, les servantes entamèrent un chant passionné :

Rejhougnè-vous, veici la châvano, rejhougnè-vous, veici les calegnaires.[1]

Même Alix mêla sa voix aux leurs. Son visage rond et hâlé s'anima. Des mots rocailleux jaillirent de ses lèvres pulpeuses. Bertrane se laissa emporter par le chant. Des images passèrent devant son regard embué, elle vit ces amants, beaux chevaliers, galoper sous l'orage, elle devina les baisers dans son cou.

Soudain, la main de Jausserande s'empara de la sienne et les trois servantes se précipitèrent sur elle. C'était tellement inattendu qu'elle ne put s'esquiver et qu'Alix en demeura bouche bée.

– Laisse-toi faire ! souffla Jausserande.

– Mais...

---

1. Hâtez-vous de rentrer, voici l'orage, hâtez-vous de rentrer, voici les amants.

– Nous allons te baigner.

– Il m'appartient de m'occuper d'elle, répliqua Alix en vain.

On repoussa gentiment Alix et sur un regard impérieux de Jausserande de Claustral, elle baissa la tête.

Le chant se propageait ; les femmes unissaient leurs voix pour répondre à l'orage qui martelait le château d'amour. Les paupières closes, elles évoquèrent le dragon redouté, caché quelque part sous la terre. Il y eut un moment d'extrême tension et de gravité comme si la Bête allait surgir entre deux éclairs, mais la Bête évoquée dans un long couplet fut tuée en une courte stance par le beau chevalier de la chanson. Aussitôt les rires et les piaillements enjoués reprirent. Bertrane participa à cette joie collective, s'abandonnant à la tendresse des regards et aux velours des mains. Quand elle fut nue, Jausserande donna des ordres. La première servante jeta des brassées de bois sec dans le feu et revint avec un chaudron fumant. La seconde fit étendre Bertrane sur une longue et lisse pierre en marbre et se mit à lui masser les pieds avec une crème épaisse tandis que la troisième répandait de la cendre sur sa peau.

Le feu redoubla d'intensité. La fumée se mêla aux volutes de vapeur.

À travers ce brouillard dense et mobile, Bertrane aperçut la nudité de Jausserande. La jeune fille se pencha sur elle et commença à lui racler méthodiquement la peau avec une écorce de chêne. Ses longs cheveux battaient sur ses petits seins. Tous ses muscles travaillaient, se tendaient, luisaient à la lueur diffuse des flammes. Sous l'effort, sa bouche s'entrouvrit, révélant des dents parfaitement blanches.

– Est-ce que ton époux a déjà pris le bain avec toi ?

– Non ! répondit avec nervosité Bertrane.

Il y avait dans ce « non » jeté à la face de Jausserande toutes sortes d'interdits et de regrets. La jeune fille sourit.

– Quel dommage ! Il en attraperait la *febra cartano* [1] et tu en serais débarrassée !

Bertrane sentit la rougeur monter à ses joues, mais le feu avait déjà coloré son visage. Évoquer la mort de Bertrand la troublait profondément. À cette idée, elle n'éprouvait pas de peine. Au contraire. Elle se sentait libérée d'un poids.

– Il ne faut pas dire des choses pareilles, dit-elle un peu tard.

Ce qui arracha un gloussement ironique à Jausserande. La jeune fille redoubla de vigueur. Ce rude décrassage arracha des gémissements à Bertrane jusqu'à ce que les massages le remplacent. Nues elles aussi, les servantes se joignirent aux deux femmes. Du bout des doigts, elles puisaient de la graisse parfumée à la sauge qu'elles étalaient ensuite sur le ventre soyeux de la Dame de Signes. Leurs mains remontaient, descendaient, erraient de courbes en creux.

Bertrane sentait les paumes bien appuyées et les doigts experts qui couraient sur ses chairs. Un bien-être l'envahissait. Elle eut l'impression que son corps se dédoublait, se détachait du carcan qui l'enfermait. Elle aurait voulu que ces mains,

_____
1. Fièvre quarte.

92

que ces souffles effacent les milliers d'heures
tristes passées aux côtés de Bertrand... Alix qui
guettait sa maîtresse était peinée. Elle ne put en
voir plus au moment où Bertrane s'abandonna
totalement aux caresses. Pleine de ressentiment,
elle se promit d'en parler à confesse. Le chapelain Guillaume prodiguait toujours de bons
conseils.

CHAPITRE VII

Parée de pierres vertes taillées dans des cristaux de roches, une robe grise de Pise pour tout vêtement, les cheveux noués en une spirale maintenue par deux aiguilles d'or, Bertrane se rendit à la Cour.

L'hiver, les dames se réunissaient dans la salle basse de la tour aux Épis ; l'été, elles se retrouvaient sous les oliviers. Du temps de sa grand-tante Erméline, vers 1105, on avait mis à jour non loin de la bastide fortifiée de la Lauzière, une banquette circulaire en pierres de Cassis. De mémoire de Signois, on ne savait pas qui avait taillé ce cercle. Rien d'étonnant si les oliviers centenaires se dressaient là, veilleurs d'un territoire symbolique.

Alix l'attendait sur le chemin. Le minois boudeur, elle n'adressa pas la parole à sa maîtresse. Il y avait aussi la très riche vicomtesse Adalarie d'Avignon et son cortège de demoiselles, trois mules chargées de jarres et de victuailles, deux gardes d'un âge avancé la lance à l'épaule, et un clerc avec ses parchemins sous le bras. La troupe insouciante entama la rude montée des Hautes-

Côtes. L'été n'en finissait pas de dorer les collines et une lumière éclatante, comme toujours après l'orage, blessait les yeux. Cependant Bertrane, en grimpant vers la Lauzière, se sentait le cœur lourd, tourmentée d'une peur irrationnelle qui lui faisait fouiller avec inquiétude le paysage. Elle avait l'impression d'être surveillée et le visage brutal d'Isembard s'imposa peu à peu à elle. La mort avait été si proche. Sans le seigneur de Trets, aujourd'hui les vers la dévoreraient. Il y eut un grand rire. On rattrapait la grosse Alalète d'Ongle. Malgré l'aide de deux robustes servantes, la dame peinait, soufflait, pestait contre la chaleur. Son fessier voilé de rouge était pareil au soleil sur l'horizon, et c'était ce cul énorme et remuant qui provoquait les moqueries des demoiselles.

– Suffit ! ordonna Bertrane.

– Allons, ce n'est pas méchant, dit Adalarie qui ne pouvait s'empêcher de sourire à la vue de ce fruit de cent livres de poids que la pauvre Alalète traînait.

– J'ai honte pour tes suivantes ! Que leur enseignes-tu ? Il y a des regards et des rires qui tuent plus sûrement qu'une flèche. Alalète est tout amour et générosité. As-tu oublié que nous avons juré de ne pas nous fier aux apparences ? Nombreux sont les nobles cœurs chez les êtres difformes ; toi-même, tu as défendu un lépreux qui avait étranglé son enfant sans bras ni jambes. T'en souviens-tu ?

Adalarie devint très rouge. L'émotion la gagna. Elle se souvenait de l'homme rongé par la maladie qui avait demandé à être jugé par la Cour. Elle l'avait défendu âprement contre la comtesse de Dye qui exigeait le jugement de Dieu. Ce fut une rude explication, mais elle eut gain de cause lors du vote. On ne punissait pas quelqu'un qui tuait par amour.

Elles arrivèrent à la hauteur de la Dame d'Ongle. Adalarie demanda à l'une des suivantes de l'eau. Quand on lui apporta la jarre, elle remplit elle-même un gobelet d'argent et le tendit à Alalète.

– Tiens, bois. Ma pauvre, tu te mets dans un état !

– *Leis caoussuros m'entamenoun.* [1]

Tous les regards glissèrent avec pudeur vers les chevilles enflées de la Dame d'Ongle et il était étrange de voir comme les prunelles d'Adalarie savaient à présent montrer de la compassion.

L'oliveraie était en vue. Les feuilles argentées tremblotaient dans la brise. Une toile bleue tendue entre des piquets courait au-dessus de la banquette. Il y avait au centre de l'hémicycle un olivier si vieux qu'on racontait qu'il avait été planté par Jules César lors de la montée des armées romaines vers la Sainte-Baume. Bertrane l'imaginait plus âgé. Elle l'appelait l'arbre du Déluge et se plaisait à dire que ce symbole de paix était apparu à Noé en citant la Bible : « La colombe vint à lui, au temps du soir, et voici qu'en sa bouche il y avait une feuille d'olivier toute fraîche. Alors Noé sut que les eaux avaient diminué de dessus de la terre. »

Toutes les dames étaient là avec leur bataillon de filles. Escarboucles, bagues, étoiles d'or,

---

1. Les chaussures me blessent.

perles, bijoux de toute valeur nouvellement importés d'Orient par les croisés et les marchands lombards brillaient aux bras, aux cous et aux oreilles. Une seule, la plus puissante, n'étalait pas sa richesse. Stéphanie des Baux portait un long bliaut marqué de la comète aux seize rais d'argent de la maison des Baux. Elle avait planté son épée devant elle. Bertrane y vit un signe funeste. Une fois de plus, elle sonda les collines étagées en restanques, les roches qui s'émiettaient et le lointain vallon couvert de chênaies où se trouvait le pont du Diable.

– Allons-nous enfin commencer ?

Bertrane n'eut pas le temps d'aiguiser ses sens. La voix de la comtesse de Dye la glaça.

Delphine, la comtesse de Dye, avait lu d'une voix monocorde et sèche les lettres et les messages en provenance de Judée. La plupart des missives exhortaient la Cour à réconcilier la reine régente Mélisende et son fils, le jeune Baudouin III. Un petit nombre cependant dépeignait la reine comme une ogresse ivre de pouvoir et le jeune roi comme un fou de guerre. Il y en avait une qui accusait ouvertement Mélisende d'avoir fait assassiner son beau-frère Raymond II pour libérer de l'ennui sa sœur Hodierne. Une autre décrivait la vie à Naplouse, les amours détestables de la reine et du connétable Manassé d'Hierges haï par toute la chevalerie franque et provençale.

À la fin de cette lecture, il y eut quelques commentaires à voix basse. Delphine examinait chaque visage avec ce regard dur et sans âme qui mettait mal à l'aise. Lorsqu'elle rencontra celui de Bertrane, le silence revint. On attendait que la Dame de Signes donnât le premier avis.

Bertrane ne savait que dire. La Judée était si loin. Mélisende et Baudouin appartenaient à la légende. Dans cette histoire, il n'était pas question d'amour, mais de pouvoir. Ces deux êtres s'opposaient pour la possession du royaume de Jésus. Bertrane quitta la banquette de pierre où elle siégeait au milieu de ses pairs. Elle se rapprocha de la comtesse de Dye qui se tenait sous le vieil olivier, passant de l'ombre à la lumière. Elle regarda une dernière fois la Sainte-Baume. La montagne paraissait grandie sous le ciel sans nuages. Sa face blanche s'élevait au-dessus des chênaies, et des couronnes de roches paraissant plus nues encore s'ouvraient sur des gouffres invisibles. Alors il sembla à la jeune femme que la montagne était sur elle, écrasante, prête à la dévorer.

– Attends-tu quelque signe du ciel ? lança Delphine de Dye avec impatience. Tu sais que je n'aime guère les choses que nous ne pouvons contrôler. Nous ne sommes pas à Signes la Noire ici !

À l'évocation de Signes la Noire, habitée par la confrérie des sorcières de Provence, il y eut un frémissement imperceptible. Les femmes sentirent passer le souffle froid des ensorceleuses qui avaient lié leurs âmes à cette terre bien avant l'arrivée des Romains.

Bertrane se ressaisit. C'était Delphine qui lui parlait des sorcières ? Par exemple ! La comtesse de Dye aurait pu vivre à Signes la Noire. Il suffisait de la contempler. En cet instant même, dans sa robe sinople, adossée au tronc torturé du vieil arbre couvert d'usnée, elle était digne de l'antique lignée des prêtresses ligures. La comtesse aux cheveux tombants d'une grisaille de plomb avait l'âge de l'olivier qui l'abritait. Sa peau ravinée, d'une dérangeante brillance, ne donnait lieu à aucun contraste avec les feuillages clairs. Son regard vacant se vrilla le temps d'une respiration dans celui de la Dame de Signes. Les deux points sombres au fond des orbites devinrent rapidement très durs, donnant aux traits du visage leur inepte et irréfragable méchanceté.

Bertrane ne se laissa pas impressionner. Pas plus que Stéphanie et Jausserande qui suivaient avec passion cet étrange duel.

– Ai-je une seule fois depuis ma naissance porté mes pas vers Signes la Noire ? dit Bertrane. Avons-nous besoin de la *mascariè negro*[1] pour résoudre les questions d'amour ? Tu déraisonnes, ma pauvre Delphine. À moins que ce ne soit voulu. On dit que rien n'est plus enivrant que de parler à notre assemblée, de la faire aller du côté où l'on veut. Je le crois. J'éprouve moi-même une volupté profonde en voyant les têtes acquiescer. Pour en venir à la question qui nous préoccupe, à savoir qui de Mélisende et de Baudouin a tort, elle n'est pas de notre compétence. Je vous l'affirme haut et fort : cette reine mère et ce fils roi n'éprouveront plus jamais d'affection l'un pour l'autre. Ils appartiennent à ces êtres qui préfèrent les joies du pouvoir, ne serait-ce que parce

---

1. La magie noire.

qu'elles sont plus durables, à celles du vin ou de l'amour.

Les femmes s'ébaudirent. Bertrane venait de placer le pouvoir au-dessus de l'amour. Jamais de telles paroles n'avaient été prononcées à la Cour. Jausserande eut un rire nerveux. Alors Bertrane leva une main en signe d'apaisement.

– Néanmoins, il est des êtres qui écoutent leur cœur aux heures les plus silencieuses et se sentent pénétrés d'amour. Et ce sentiment est infiniment plus fort que tous ceux du pouvoir, engendrés du dehors dans le tumulte des complots et des guerres. L'amour est tout, mes sœurs. Renvoyons dos à dos Mélisende et Baudouin.

– Je veux poursuivre ! cria Delphine.

– Il n'y a rien à poursuivre, répliqua Bertrane.

– J'exige un vote.

Bertrane haussa les épaules. En elle, une force bouillonnait et les protestations de Delphine, bien loin de l'arrêter, décuplèrent sa joie car elle comprit que Delphine ne pourrait que se plier à sa volonté. Avec une belle allégresse, les femmes votèrent à l'unanimité pour Bertrane, déclarant l'incompétence de la Cour, et on dicta un message à la princesse Constance et au seigneur de Tibériade, Gautier de Saint-Omer qui, les premiers, avaient alerté les Dames d'Amour.

La comtesse de Dye faisait piètre figure. Elle cherchait des griefs, mais dans le tumulte de ses pensées, elle ne trouva rien à redire. Tant que Bertrane demeurerait intacte et pure, il serait impossible à une autre femme de la contrer.

Alors que la plume du greffier d'audience, Mabille d'Yères, crissait sur le parchemin, on entendit un cri.

Jausserande fut la plus prompte à réagir.

– Vous autres, avec moi !

Tirés de leur somnolence, les vieux gardes trottèrent derrière la jeune fille. Il y eut un second cri pareil à celui d'une bête égorgée. Puis on aperçut une paysanne courant sur le chemin. Elle était suivie de près par un rustre brandissant un bâton. Cette arme de fortune tentait de s'abattre sur le dos de la fuyarde. À plusieurs reprises, le drôle manqua sa cible en jurant et au moment où il allait l'atteindre le « Non ! » de Jausserande claqua à ses oreilles. Il vit la jeune dame, les soldats, les lances pointues entre leurs mains et le mauvais sourire qu'ont les soudards avant d'embrocher leur proie.

– Gente Dame ! Protégez-moi ! demanda la paysanne en tombant aux pieds de Jausserande.

– Emparez-vous de lui ! ordonna la jeune fille.

Les gardes essayèrent de mettre la main sur le rustre. Il était trop fort, plus jeune et animé d'une colère qui le rendait dangereux. En deux bonds, il échappa à la soldatesque en criant.

– *Aze !*[1] Si tu t'en vas parler aux dames, je te casse les os.

La paysanne prit peur. Elle essaya de se détacher de Jausserande, vaincue par le regard menaçant de l'homme au bâton.

– Toi, tu ne me quittes plus ! lui dit la jeune fille en la saisissant par la main. Quant à toi, mon

---

1. Bourrique !

102

beau crotté qui sais si bien t'adresser aux femmes, tu ferais bien de retourner chez toi et de préparer ta défense.

Le rustre éructa une grossièreté et dévala la colline en sautant de restanque en restanque. Jausserande ramena la pauvresse. On les entoura. Bertrane demanda un linge et s'employa avec douceur à rafraîchir ce visage baigné de larmes et de sueur. Toutes la connaissaient. Elle s'appelait Dooudina, étrange prénom qui signifiait « la Choyée ». Il lui avait été donné parce qu'elle était la première née d'une famille affranchie trente ans plus tôt. En vérité, elle le portait mal. Il lui avait attiré toutes sortes de malheurs dès le jour où elle avait pris pour époux le grand Bertagne, l'homme au bâton, bûcheron de son état, en état d'ivresse permanente.

– C'est la Dooudina, chuchota Alalète, la pauvresse du Latay. *Es la troisièmo fes que pren maou.* [1]

Sur ces mots, la grosse dame d'Ongle porta les mains à son ventre comme si elle voulait protéger le fruit qui avait déjà poussé à six reprises. La douleur était collective. La douleur fourrageait les entrailles de toutes les femmes, même celles de Bertrane et de Jausserande. L'enfantement était une épreuve à laquelle elles avaient assisté ; l'avortement leur semblait une punition subie en solitaire.

– Mais elle est ronde ! dit avec effroi Hermissende, la plus sage et la plus observatrice des dames.

---

1. C'est la troisième fois qu'elle avorte.

Ce fut la consternation. Dooudina était enceinte. Tous les regards se fixèrent sur la bosse qui gonflait la chasuble rapiécée. Ce fut autant de piqûres ressenties par la paysanne.

– C'est pas ma faute, bredouilla-t-elle en croisant ses mains devant elle. C'est Bertagne ou ses compagnons... je sais pas.

– On sait que tu n'y es pour rien, dit avec compassion Stéphanie. De combien es-tu grosse ?

– Cinq ou six lunes, je sais pas... Je sais pas !

Dooudina se remit à pleurer. Son visage comme son corps était d'une extrême maigreur. Il avait cependant une dimension enfantine, une éternelle jeunesse sous les ravinements de mille souffrances endurées. Dooudina ressemblait à ces vaillanties qui croissent sur les terrains arides et résistent au mistral, à la grêle, au sirocco. Les dames se firent plus tendres. La vicomtesse d'Avignon, Adalarie, se proposa pour la prendre à son service.

Rassurée, Dooudina parla de Bertagne, des horreurs qu'il faisait subir à ses comparses de la forêt. Parce qu'il n'aimait pas les gros ventres, il la battait et la prenait comme une chienne parderrière, là où c'était interdit.

– Un *bouscatiè*[1] peut pas nourrir de morveux, c'est ce que dit le Bertagne, ajouta Dooudina.

– Bien ! trancha Stéphanie des Baux. Je n'ai nul besoin de vos avis, mes amies, après ce que je viens d'entendre. Il est temps de tirer la morve du nez de ce Bertagne.

Fendant les rangs d'un pas décidé, elle alla

_____

1. Un bûcheron.

prendre son épée fichée en terre. C'était dans l'action que la Dame des Baux révélait sa véritable personnalité. Elle était transformée, pareille à une déesse de la guerre. Elle retira les épingles qui maintenaient ses cheveux et secoua la tête. La splendide chevelure argentée se déroula sur son dos. Aucune pensée ne vivait sur son visage volontaire et elle n'eut pas une hésitation en tranchant sa robe au-dessus des genoux.

– Conduis-moi ! ordonna-t-elle à Dooudina.

La paysanne n'essaya pas de résister à l'ordre. Elle alla sur le chemin dans une anxiété atroce, sans faiblir, les lèvres seulement agitées par une bribe de prière. Bertrane, Jausserande, Mabille, Adalarie et les deux gardes les suivirent tandis que le gros bataillon des femmes demeuré sur place passait tacitement sous le commandement de Delphine de Dye.

La cabane du bûcheron était à l'écart du village, perdu dans le vallon de Massebœuf.

– C'est un mauvais endroit, dit Adalarie qui regrettait l'aventure.

Ce constat réveilla des peurs irrationnelles. Tous, sauf Stéphanie, prirent conscience des forces cachées qui les entouraient. Le vallon de Massebœuf était une entaille ouverte sur le pont du Diable. On ne se rendait jamais là-bas. Le Malin régnait sans partage des gorges de la Basse à la gourgue de Mal Vallon et son territoire commençait au pont gardé par un chevalier brigand, Robert le Roux de Paneyrolle. Ce chevalier n'avait jamais été vaincu et il lui arrivait parfois de se rendre à Signes la Noire pour le grand sabbat des sorcières de Provence. C'était ce qui se disait aux veillées, et chacun se rappelait la description qu'en faisaient les conteurs : Robert, roux de cheveux, chevalier à la longue lance de frêne, chevalier noir arborant l'emblème du loup rouge monte un destrier de bataille aussi noir que la nuit...

Stéphanie se fichait de ce brigand. S'il n'avait tenu qu'à elle, elle aurait pris la tête d'une compagnie d'archers et de quelques chevaliers pour mettre fin aux exactions de ce drôle en armure. Mais Bertrand de Signes s'y refusait par superstition et interdisait quiconque de défier le chevalier noir. Pour l'heure, il n'y avait aucun danger de le rencontrer. Robert ne venait jamais dans le vallon de Massebœuf, peuplé d'une misérable poignée de pouilleux.

Le soleil montait au zénith, éclairant les pentes où les stries brunes des troncs abattus, dessinaient un langage chaotique. La cabane de Bertagne apparut et Dooudina la montra d'un doigt tremblant.

– C'est là.

Les dames, Bertrane surtout, se sentirent dérangées à la vue de cette verrue de bois et de torchis. Bertrane comprit à quel point la Cour les éloignait de la réalité. Elle était coupable de cette misère. Elle jura tout bas d'y remédier. Dès demain, elle exigerait de Bertrand son époux les fonds nécessaires afin de donner un toit en dur à tous ceux qui vivaient dans les collines.

Dooudina refusa d'aller plus loin. La cabane se dressait entre deux gros rochers qui la protégeaient du mistral et du vent d'est. Stéphanie s'y rendit d'un pas ferme. À dix coudées de l'entrée,

elle s'arrêta. Lentement, elle se mit en garde, dirigeant la pointe de l'épée vers l'antre. Des années
d'excréments incrustaient les pierres alentour et
l'odeur soulevée par la chaleur collait aux
narines. Luttant contre le goût de bile dans sa
bouche, elle se rapprocha encore. Quelque chose
bougea à l'intérieur de la cabane.

– Sors de là !

Et il sortit. Une bête immonde couverte de poux
et de crasse. Le Bertagne puait le vin et l'urine.
Tous les sens de Stéphanie se révoltèrent quand
elle le vit et le sentit. Elle aurait voulu se nettoyer
le visage avec le chaste voile des nuages accroché
à la Sainte-Baume.

– *Goujhardo !*[1] Je vais te trancher le cou !

Bertagne montra son intention en s'emparant
d'une hache au manche aussi long que l'épée de
la dame. Il la fit tournoyer. La menace semblait
plus s'adresser à la pauvre Dooudina qu'il fixait
de ses yeux injectés de sang. La panique se mit à
cogner dans la poitrine de la paysanne, et elle se
réfugia dans les bras de Bertrane qui lança :

– Pas de quartiers !

Ces mots surprirent les dames. La douce
Signoise demandait la mort de la brute. C'était
bien la première fois qu'elle prononçait une sentence aussi dure.

Stéphanie n'en attendait pas moins. La répul-
sion et la haine coulaient en elle comme un puissant acide. Bertagne eut un ricanement quand il
la vit s'avancer. Sa hache étincela sous les rayons
avant de frapper l'acier de l'épée. Il recommença

---

1. Sagouine !

mais à chaque coup il rencontrait l'âme froide de l'arme tenue fermement par la Dame des Baux. Il s'étonna. Lui qui abattait des troncs avec aisance ne parvenait pas à toucher une faible femme aux cheveux argentés. Peu à peu, il recula. Puis il ne la vit plus comme une femelle. Elle était l'ange vengeur descendu du ciel, l'apparition de gloire qui allait le punir.

Stéphanie jugea que le moment était arrivé. Elle balaya la cognée qui hésitait à porter ses coups, puis se fendit. La lame troua la camisole, pénétra les chairs jusqu'au cœur.

Alors qu'une rosée rougeâtre s'échappait de sa bouche, Bertagne lâcha sa hache, tournilla sous le regard sans pitié de Stéphanie et s'écroula. Il y eut un cri. Les dames furent surprises par la réaction de Dooudina.

– Vous me l'avez tué ! Vous me l'avez tué !

Elle s'arracha à la protection de Bertrane et courut vers la dépouille de son époux. On ne put la détacher du corps qu'à la tombée de la nuit, et jusqu'au petit matin les dames s'interrogèrent sur l'amour, sur cet inconnu qui entre en nous et nous prive de toute raison.

Chapitre VIII

Le laisseront-ils boire en paix ? Hugon jeta un œil mauvais sur la lie de l'humanité rassemblée dans le bouge où il logeait depuis plus de trois semaines. Un trou à punaises. Tout en longueur sous les voûtes noircies. Des torches laissaient tomber des lueurs jaunes, changeantes, sur les tables bancales ; et ces clartés palpitantes donnaient aux braillards un air de diablerie. Il vida d'un trait le gobelet de vin, ne parvenant pas à s'habituer à son goût. Cet alcool de Bourgogne lui tournait les sens. À Dijon, il était impossible de boire du Corbières ou de l'épais vin miellé de Tarascon.

– Bâtard ! J'aurai ta peau ! grogna-t-il.

Le Bâtard de Trets, Odet d'Alègre, l'avait trahi. Il en était sûr. Sa mère et la Dame de Signes étaient saines et sauves. Un regret passa dans son regard. Regret de ne pas être à cette heure l'héritier des Baux. Regret de ne pas pouvoir imaginer les corps de ces deux chiennes dévorés par les corbeaux.

Il porta la main à la poignée de son épée. À une table voisine, une dispute éclata pour

quelque motif obscur entre deux ribauds qui tirèrent leurs coutelas et se mirent à se battre. Ce fut
bref. Le sang coula un peu et ils se réconcilièrent
en partageant le pichet offert par le tenancier. La
vie des punaises reprit son cours habituel. Dans
les rires gras d'un auditoire dru chaviré par la
vinasse, un gros homme haletant cherchait à
pénétrer rageusement de son sexe le ventre nu
d'une fillette prostituée. Ce qui était terrible,
c'était le rire de l'enfant, un rire de vieille aux
intonations cassées, et la façon dont elle encourageait son assaillant en le tirant par les hanches.
Hugon croyait voir le Bâtard et il se remit à
ruminer sa vengeance dans l'alcool.

Le vin avait des reflets de soleil mourant, le fer
du gobelet se mêlait à son parfum. Il le détestait
car il lui rappelait la bataille perdue en
Camargue. Mais il buvait quand même, s'efforçant de s'enivrer, tout en sachant que cette
ivresse, loin de le mener au Paradis, le ferait
vomir avant l'aube sur le lit de paille où il faisait,
nuit après nuit, des cauchemars. Le nez humant
le vin, les pensées fumeuses, il ne remarqua pas
le changement autour de lui.

Le silence s'étendit d'un bout à l'autre de la
salle. Le gros homme se détacha de la petite fille
dont le rire s'était figé en une grimace. Ce fut le
ferraillement et les pas lourds qui alertèrent
Hugon. Il releva lentement la tête.

Ils étaient huit. Huit chevaliers errants. Leurs
blasons fatigués, leurs armures cabossées, les
cicatrices sur leurs visages et leurs regards dévo-
reurs en disaient long sur la litanie de leurs mauvaises actions passées et à venir. On sentait qu'ils
avaient vécu d'une façon dont ils ne souhaitaient

plus se souvenir, qu'ils avaient vu l'animal humain sous son pire jour avant de devenir pires à leur tour. Il se dégageait de ce groupe une force qui glaçait de peur les gueux de la taverne.

Mais cette apparition réchauffa le cœur d'Hugon. Il leva son gobelet en l'honneur des nouveaux arrivants.

– À votre santé, chevaliers !

Eux se reconnurent aussitôt en lui. C'était le seigneur dont ils avaient entendu parler à Montbard. Ils s'ébranlèrent et n'eurent aucune peine à s'asseoir. Il y eut une envolée de moineaux. Des bancs se libérèrent, des servantes apportèrent tabourets, cruchons, pains et jambons.

– On dit que tu cherches à enrôler ? demanda un chevalier en s'installant face à Hugon.

Le comte des Baux le jaugea. L'inconnu portait une barbichette lustrée qui allongeait singulièrement sa face étroite. La joue droite avait été autrefois trouée et mal raccommodée. Il y avait là une dépression. Elle déformait l'extrémité des lèvres en les étirant. Le bliaut taillé dans une bonne et solide étoffe brune des Flandres était décoré d'un coquelicot noir sur un blason jaune. Une longue épée à la fusée marquée d'un croissant de lune et d'une suite de triangles pointés vers le quillon pendait à même la ceinture, nue, sans la protection d'un fourreau.

Hugon vit dans cet homme sec où les nerfs et la tête dominaient les muscles et le cœur, l'élu de ses desseins.

– Je cherche et je paie bien, répondit le seigneur des Baux.

Un sourire déforma un peu plus les lèvres du

chevalier au coquelicot qui avait son idée sur la question.

– En deniers melgoriens ou en solidus ?

– En solidus d'or frappés à l'effigie de Manuel Ier, empereur de Byzance.

Il y eut des grognements de plaisir. Les chevaliers montraient leur âpreté au gain. Le solidus exerçait sur leur esprit une fascination presque religieuse.

– Je m'appelle Liénard d'Ouches, mais on me surnomme Liénard le Batailleur, dit le chevalier au coquelicot, et tu as devant toi la fine fleur de la chevalerie française.

Il présenta ses compagnons : Conan de Montfort, Othe d'Auxerre, l'excommunié, Gilbert de Bouville, Étienne de Borron, le voyageur, Robert de Béthune, Bonneval du Pont et Beraud le Lion.

– Alors, mon beau seigneur, qui faut-il envoyer en Enfer ?

Hugon s'accouda et ils burent ses paroles.

Bertrane versa entre ses seins un parfum d'Orient acheté à prix d'or aux colporteurs de Marseille. Le liquide couleur de miel embauma l'air d'une odeur musquée et épicée. Une chaleur monta à sa poitrine ; il lui semblait que la fragance remplissait la vacuité de son corps d'une force nouvelle. Puis elle passa une robe dont la légèreté laissait voir ses formes par transparence. C'était... trop osé. Alix en fit la remarque.

– Vous n'allez pas vous rendre ainsi à Château-Vieux ?

Bertrane hésita, puis les paroles de Jausserande s'imposèrent à elle : « Tu n'as jamais rien fait pour séduire ton époux. Comment crois-tu que les hommes nous préfèrent : en habit de nonne ou en princesse orientale ? Ce n'est pas saint Paul que je sache, ce seigneur-là ! Tiens, je vais te prêter ma robe d'Antioche et nous verrons s'il ne tombe pas à genoux devant toi. »

– Je la garde, répondit Bertrane. Au lieu de ruminer des mauvais propos à mon égard, tu ferais mieux de me passer le *pouli vieisti*[1] de ma mère.

Alix s'exécuta de bonne grâce. Ce que la dame appelait le *pouli vieisti* était un caraco brodé rapporté de Palestine par son père, le comte Gui de Solliès. Il cassa la ligne fluide de la robe, rassurant un peu Alix.

Bertrane était prête. Mais prête à quoi au juste ? Elle s'en alla seule sur le chemin de Château-Vieux, longeant le Figaret aux eaux gonflées par les derniers orages. Chaque fois qu'elle se rendait là-bas, au bout de la vallée, elle avait l'impression de suivre un chemin de croix. Elle y allait toujours avec angoisse, ne sachant comment se tenir ni parler à son époux. Bertrand appartenait à un autre monde, au monde de la foi et des prières. Jausserande était folle de lui avoir mis en tête cette idée de séduction et de conquête. Elle prit une grande inspiration ; elle savait que c'était plus qu'une idée.

Le donjon émergeait au-dessus d'un piton rocheux. Elle ne pouvait plus reculer. Il n'était plus question de raison, ni même d'un quelconque désir légitime : à chaque pas, elle cédait

---

1. Joli vêtement.

un peu plus, comme à un vice trop longtemps contenu. Elle était pleine d'histoires d'amour, d'aventures vécues à travers les débats de la Cour.

Au pied de la colline, dans l'unique rue du village originel qui se dépeuplait peu à peu au profit de Signes, des enfants lui firent fête. Cela aurait dû la réconforter. Elle n'eut pas même une parole gentille. Ils s'éparpillèrent sous les murs massifs du château. Bertrane leva les yeux vers les créneaux, vers les oriflammes, vers la grande croix dressée sur le donjon. Son époux priait souvent sous le symbole de la rédemption des hommes. « Christ, tu ne t'es pas sacrifié en vain », criait-il parfois la nuit quand les loups hurlaient à la pleine lune. Le mystère de la résurrection l'obsédait ; il espérait se retrouver parmi les saints le jour du jugement dernier et il mettait tout en œuvre pour y parvenir.

Face à la porte béante par laquelle entraient et sortaient paysans, moines, pèlerins et soldats, le cœur de Bertrane canta. Elle demeura sur place, reluquée par les sentinelles.

– Ma Dame, s'enquit un sergent, voulez-vous que j'aille quérir le chapelain ?

Elle fut surprise. Était-ce donc l'image qu'elle donnait ? L'image d'une femme allant à confesse ? Il est vrai que dans ce haut lieu de contrition, les femmes n'avaient qu'un seul droit : celui de se rendre à la chapelle Notre-Dame-l'Éloignée. Bertrand ne tolérait aucune servante dans l'enceinte de la forteresse. Il croyait au Diable. Les femmes, il le répétait, étaient des engeances diaboliques aux chairs pétries de désirs malsains.

– Je me rends chez mon seigneur ! répliqua-t-elle vivement.

Le sergent se troubla. Il regarda en direction du donjon avec une expression où se mêlaient terreur et respect.

– C'est que...

– C'est que quoi ?

– Notre bon maître Bertrand est en récitation.

– Que m'importent ses récitations ! Voilà plus de trois semaines que j'attends sa visite à Signes.

Elle laissa là le sergent interloqué et se dirigea vers le donjon. Un large escalier y menait, tournant entre les écuries et les palissades intérieures de défense. Elle n'eut pas un regard pour la chapelle devant laquelle un bataillon de moines chantaient l'*Agnus Dei*. Elle ne voulait pas ralentir.

Honteuse, tremblante à l'idée des conséquences certaines de son acte, mais poussée par le plaisir irrépressible de son audace, elle gravit les escaliers de la grosse tour, écartant gardes et écuyers.

À cinq marches de la porte épaisse qui la séparait de la salle haute où Bertrand s'enfermait pendant de longues périodes, elle s'arrêta. Son cœur battait trop vite. Elle haletait. Elle se reprit. Une voix saccadée filtrait jusqu'à elle. Elle reconnut Bertrand. Mais avec qui était-il ? Elle souleva le crochet de fer qui retenait la porte au mur et poussa doucement le battant. Il faisait sombre à l'intérieur. Toutes les meurtrières étaient voilées de cuir et trois cierges diffusaient un semblant de clarté. Bertrand se tenait à genoux dans le halo.

– Saint Pierre, priez pour moi, saint André,

priez pour moi, saint Jean, priez pour moi, saint Basile, priez pour moi, saint Maurice, priez pour moi...

La récitation. La longue litanie des saints. Bertrane en était effrayée. Bertrand paraissait méconnaissable. Les yeux lui sortaient de la tête, son corps bien enrobé se balançait d'avant en arrière.

Il y eut un mouvement dans l'ombre. Une face rubiconde à demi cachée par un capuce rabattu au ras des sourcils s'avança dans le halo. Bertrane reconnut Guillaume le chapelain. Le brave prélat lui fit signe de s'en aller mais son geste discret de la main n'échappa pas à Bertrand.

– Saint Jérôme... Qui vient là ? Ah c'est vous, mon amie ?

Il la vit. Cela dura le temps d'un *Notre Père*. Plus un mot ne sortit de ses lèvres. Seul le chant lointain des moines troublait le calme profond de la salle aux voûtes noircies. Dans son coin, Guillaume gardait son air bigot et affectait de contempler l'unique croix d'argent placée sur l'autel de marbre que Bertrand avait fait venir à grands frais de Rome.

Bertrane regardait son mari, l'autel, le lit qui n'avait pas été défait. Une odeur d'encens flottait et elle aurait préféré gagner la campagne, fuir au loin, pour toujours. Elle n'aimait pas cet homme. L'amour, elle en était sûre, arriverait tout à coup, la touchant au cœur aussi rapidement que l'éclair tombe sur l'arbre qu'il foudroie.

– Que me voulez-vous ? demanda soudain Bertrand.

Elle demeura saisie par le ton froid et cassant. Elle comprit. Il la découvrait dans sa robe, avec

116

ses hanches rondes, sa poitrine soulevée par une respiration oppressée, son visage de madone aux lèvres sensuelles et ses longs cheveux maintenus par un bandeau de pierreries.

– Je voudrais m'entretenir avec vous seul à seul.

Guillaume n'attendit pas l'ordre du seigneur. Il s'effaça plus silencieusement qu'un fantôme. Bertrane se sentit tomber dans un trou aux bords inaccessibles, pourtant elle parla.

– Mon ami, cela fait quinze ans que ma famille m'a donné à la vôtre et dix que les liens du mariage m'unissent à vous. Et je loue le Seigneur d'avoir mis sur mon chemin un homme tel que vous. Je n'ai jamais manqué de rien, vous m'avez toujours soutenue, vous êtes à l'origine des embellissements du château des Dames et vous dépensez sans compter pour la Cour où je préside... mais je m'interroge parfois sur vos largesses.

Elle prenait confiance, s'animait d'une grâce exquise. Bertrand ne pouvait s'empêcher d'admirer la forme de sa bouche, le mouvement de ses lèvres formant les mots, la façon dont elle bougeait les mains comme si elle jouait d'un instrument à musique. Et il ne parvenait pas à refouler le sentiment de stupeur admirative qui s'emparait de lui. Elle était la perversion et la pureté incarnées. Pour cette attitude, il se mit à la détester.

– Oh, poursuivait-elle, je ne dis pas que vous agissez dans un but bien défini... Non, je ne le pense pas, mais je ne comprends pas. Personne ne peut entrer dans votre intimité ; j'aurais pourtant, il me semble, quelques droits.

Le regard de Bertrand s'agrandit. Ces propos le meurtrissaient ; il sentait venir le reproche. Au point où elle en était, elle allait exiger qu'il lui fît un enfant. Mentalement, il reprit sa récitation, attendant le pire. Mais le pire ne venait pas ; elle lui parlait des amours contrariées des Dames ; des espoirs de toute la gent féminine, et il l'écoutait à moitié, sachant qu'elle le croyait incapable de comprendre.

Bertrane s'épuisa, s'exacerba. Elle acheva son long monologue en citant la vingtième règle de l'amour :

Je ne vous en veux pas, mon ami ; l'amoureux est toujours craintif.

Craintif, Bertrand ne l'était plus ; il avait fini par s'habituer à sa présence et il ne la voyait plus autrement qu'en pécheresse qu'il fallait sauver. Lorsqu'il parla, ce fut sur un autre ton, et son discours à lui était encore plus invraisemblable. En fait, il s'adressait aux ténèbres au-dessus de la croix d'argent, d'une voix qui éveillait des échos dans l'espace en pierres taillées. Il lui parla d'abord d'un autre temps et d'un autre lieu, très loin de Signes, et encore plus loin dans l'histoire des hommes, du temps où Adam et Ève jouaient ensemble dans le merveilleux jardin d'Éden, mais où ils avaient vu leur vie idyllique anéantie par le désir.

– Voilà, ma Dame, l'exemple que je ne veux pas suivre. C'est pourtant celui que vous prônez à votre Cour, allant jusqu'à occire mes commandés. L'exécution de Bertagne le bûcheron m'a fort peiné. Si je n'avais pas été le féal de Stéphanie, j'aurais demandé réparation. Votre Cour me porte ombrage. Les anges qui parfois me visitent me soufflent de renvoyer les Dames dans leur fief, mais je ne peux m'y résoudre. Je perdrais tout crédit auprès de la chevalerie en chassant celles qui règnent sur les cœurs d'une majorité de soldats.

Soudain il s'enflamma, se frappa la poitrine. Bertrane prit peur.

– Je voudrais créer un endroit, un centre réputé de dévotion, que le pape en personne viendrait bénir. Il n'y aurait que des hommes chastes et le peuple chantant des moines ; on y ignorerait l'existence du péché. Je vous le dis, ma Dame ! En quelques années, au sein des beaux monastères et des belles églises élevés à profusion sur les flancs de la Sainte-Baume, on compterait une légion, cent légions brillantes de religieux !

Bertrand était au bout de son extase. Il avait la vision de ce monde de croix, de bénitiers, de cloches, de milliers de saints géants érigés sur des acrotères d'or, d'hosties tombant en neige d'un ciel consacré à l'Eucharistie. Ce fut alors que son rêve se brisa.

– Pour qu'il y ait légions, il faut faire des enfants, avança Bertrane d'une voix sans passion.

Le réalisme, la crudité de ses propos provoqua la crise. Le regard de Bertrand changea. Il détestait les évidences. Par le seul feu sombre de ses prunelles, il aurait voulu obvier le mal dont il sentait la proximité. Tout son sang s'amassa dans sa poitrine.

– Partez ! Je ne veux plus vous voir ! jeta-t-il.

Bertrane était paralysée par la fureur de son

seigneur. Lui ne l'apercevait déjà plus. Le sang, la douleur l'aveuglait.

– *Souffri ! Souffri !* ahana-t-il.

Il avait réellement l'air de souffrir. Il arracha sa chemise, tournant en rond comme un fauve blessé à mort. Puis il souleva le couvercle d'un coffre.

Bertrane pâlit. Il tenait des verges de cuir à la main. Pendant un instant, elle crut qu'il allait la flageller, mais il se mit face à la croix et commença à se punir.

L'atroce vision fit reculer la Dame de Signes. Pas à pas, elle s'éloigna de Bertrand dont les gémissements porcins étaient entrecoupés d'appels à Jésus. Le poing sur les lèvres, elle s'enfuit du donjon avec l'envie de vomir. Voilà donc l'image de l'homme qu'on l'avait forcée à épouser ; elle était condamnée à rester vierge, à vivre dans l'ombre de ce fou de Dieu. Un sentiment de profond désespoir s'empara d'elle et, sur le chemin, elle hésita à prendre la direction du pont du Diable. Là-bas, il y avait le chevalier noir qui prenait les vies des audacieux et un gouffre dans lequel se jetaient les désespérés. La vie la reprit aussitôt. Il y avait des lavandières accroupies dans l'eau du Figaret. Une voix montait de ce groupe de femmes qui battaient en rythme le linge. Cette voix racontait une vieille histoire d'amour entre Guigo de Signes, chevalier de la première croisade, et Bérengère de Méounes qui partit le rejoindre à Jérusalem[1]. Après mille

---

1. Voir *Les Âmes brûlantes*.

épreuves, ils se retrouvèrent et vécurent heureux ici même sous les cieux de la Sainte-Baume.

Bertrane leva les yeux vers la montagne sacrée et interrogea le ciel. Où était donc le chevalier, son chevalier d'amour ? Existait-il seulement ? Comme Bérengère, elle était prête à subir les épreuves du feu et des armes.

CHAPITRE IX

Jean d'Agnis fit signe à ses hommes d'avancer. Un à un, ils sortirent de la tour du Chien dont ils avaient la garde. Antioche dormait. De la porte Saint-Paul à la porte Saint-Georges, des marais au mont Silpius, deux cents mille âmes que les heurs et malheurs avaient réunies dans la légendaire cité appartenant au prince Raymond de Poitiers ne se doutaient qu'une page de l'histoire s'écrivait en ce moment même.

Jean les contempla un à un. Tous étaient de fidèles compagnons ; des frères d'armes embarqués dans la grande aventure des croisés. Ils appartenaient à de vieilles familles d'Ollioules, de Cuges, du Castelet, de la Cadière, de Fuveau et de Signes. Entrés au service du roi de France Louis VII, ils s'attendaient à vivre une belle épopée, mais jusqu'à cette nuit, ils n'avaient connu que souffrance et amertume. Depuis Nicée, où les restes de l'armée allemande de l'empereur Conrad III les avaient rejoints[1], la

---

1. L'armée allemande perdit les neuf dixièmes de ses effectifs à la bataille de Dorylée le 26 octobre 1147.

faim, la maladie, les pillards et les accidents emportaient peu à peu les meilleurs d'entre eux. Les Turcs, qu'ils haïssaient, ils ne les avaient pratiquement jamais rencontrés et ce n'était pas dans les heures qui allaient suivre qu'on crèverait des infidèles.

Jean reprit la tête de la troupe. La rue d'Alep bordée de maisons blanches et basses était chargée d'exhalaisons. Un marché perpétuel s'y tenait toute la journée avec ses épices couleur rouille et ocre, ses paniers pleins d'agrumes, ses volailles caquetantes et ses moutons au ventre ouvert. À midi, on y étouffait dans l'odeur puissante des parfums d'Orient et des plantes médicinales ; à minuit, le remugle des fientes et la fadeur du sang vous forçaient à respirer à petits coups. Jean montra le fossé sombre de l'Onopniklès. La rivière coulait rarement. Elle était la cicatrice dans laquelle on jetait toutes les ordures de la ville. Le chevalier d'Agnis s'y glissa. Ses pieds rencontrèrent le sol molasse. Il y avait là une belle épaisseur de merde et quelques bêtes mortes, des rats et des chauves-souris.

Une pipistrelle frôla son visage. Jean eut un frisson. Il tira son poignard et le tendit devant lui. Il avait l'impression d'être seul tant ses hommes étaient silencieux. Dans son dos, la douzaine de braves se noyait dans les ombres obscures. Cette mission, ils la regrettaient un peu, mais on ne désobéissait pas à un roi qui payait bien. L'Onopniklès faisait un coude. Ils arrivaient à destination. Ils quittèrent la rivière qui continuait vers les Portes de Fer et se coulèrent entre les rochers. À moins d'un jet de flèche, la citadelle pesait entre une nuée d'étoiles. Chaque tour massive rappelait une bataille, chaque aspérité avait connu son carnage. Elle était pareille à un immense tombeau flanqué d'un donjon carré autour duquel bruissaient les fantômes des guerres passées.

Et ce donjon était leur but.

Jean ravala sa salive. Il examina les courtines une à une. Aucun mouvement ne trahissait la présence des sentinelles. Depuis l'arrivée de l'armée croisée, la vigilance s'était relâchée. On ne craignait plus les Turcs de Damas. De plus, le roi Louis, dans ses largesses, faisait distribuer des pintes de vin à volonté. Ce jour même, trois tonneaux avaient été percés dans la cour de la citadelle.

Jean loua la malice du souverain. Cependant il doutait encore du plan quand il parvint à la poterne. Elle était fermée.

– Nom de Dieu ! jura un homme, on va se faire repérer.

Jean allait commander la retraite quand la porte s'ouvrit, laissant apparaître la gueule du traître payé la veille dans l'église Saint-Siméon.

– Vite ! Vite !

Le traître, un écuyer lyonnais au service de Raymond de Poitiers, les poussa un à un à l'intérieur du château. Jean avait les nerfs tendus. Ses yeux suivirent le colimaçon de l'escalier. Il aurait bien voulu être la chauve-souris aperçue dans la rivière, s'envoler vers les étages supérieurs afin de repérer les lieux. Il n'avait pas une confiance absolue envers le traître qui les conduisait.

Il se fit violence. Ne plus penser à rien. Ne plus penser au fer des tueurs dissimulés plus haut.

Dégager lentement l'épée du fourreau et se fier à l'instinct.

Ils gagnèrent sans dommage les courtines. Jean aperçut un garde proprement égorgé. Un autre reposait à demi couché sous la voussure de la porte du donjon. Avant de pénétrer dans la tour, le traître l'avertit du danger.

– Ils sont cinq dans la salle des gardes ; il faudra les éliminer.

– Assez de morts, nous les assommerons, répondit Jean.

– Ce ne sont que des Arméniens à la solde de Raymond.

Jean contempla sa troupe. La meute livide attendait, couteaux aux mains. Pour ces croisés fraîchement débarqués en Orient, Arméniens, Turcs, Égyptiens appartenaient à la même race.

Le traître ouvrit délicatement la porte avant de disparaître. Il ne pouvait aller plus loin. Il appartenait désormais aux Provençaux de terminer le travail. Tandis que Jean se précipitait vers l'étage supérieur, les douze silhouettes enveloppèrent les Arméniens endormis, puis les abandonnèrent sur leurs couches, la gorge tranchée. Ce fut fait si silencieusement qu'à aucun moment Jean ne cessa d'entendre gronder son cœur. Il touchait au but. Un grand chevalier somnolait sur un tabouret. D'un violent coup de quillon à la tempe, il le fit sombrer dans l'inconscience.

Derrière lui, trois compères attendaient déjà l'ordre d'investir l'ultime et dernière pièce qui n'était autre que la chambre du puissant prince d'Antioche, le comte de Poitiers, Raymond.

– J'y vais seul, leur dit Jean.

Il fallait du courage pour se couler dans cet

antre. Jean puisa le sien en baisant la croix en bois d'olivier qui pendait à son poignet gauche. Il repoussa le battant, la lourde tenture de cuir et se figea sur place, incapable de remuer un doigt. Ce qu'on racontait dans le camp des croisés était donc vrai.

Devant lui, sous les éclairages vacillants d'une centaine de lampes à huile, il y avait un large lit. Et sur ce vaisseau de soie et de lin surmonté de l'emblème poitevin, se trémoussait paresseusement une jeune femme. Elle chevauchait le prince au visage fatigué. Elle s'appelait Éléonore d'Aquitaine ; c'était l'épouse du roi de France et la nièce de l'homme dont elle tirait en cet instant même du plaisir.

Vingt-cinq ans séparaient Éléonore de Raymond. Elle remua soudain avec fougue son cul. Ses cheveux fouettèrent l'air, faisant trembler toutes les flammes de cette étrange chapelle vouée au culte de la chair. Puis elle s'étonna du manque d'enthousiasme de son partenaire.

– Qu'as-tu donc ? Dois-je aller me satisfaire ailleurs ? Veux-tu que j'appelle le chevalier Baudouin ?

Elle remarqua alors la stupeur de Raymond. Son amant fixait quelque chose derrière elle. Elle se retourna.

– Quel est ce drôle ?

Tous ses muscles se durcirent ; elle n'eut même pas un geste d'instinctive pudeur en se précipitant nue sur l'importun qu'elle apostropha :

– Sais-tu où tu es ? Qui je suis ?

Elle était si belle. Jean semblait découvrir le profil délicat de la reine. Elle l'auréolait de son éclat, d'une grâce animale et sensuelle. Elle le

127

frôlait du bout de ses seins et il eut un regard d'admiration pour ce corps attendant d'être comblé.

– Je vais te faire pendre !

– Éléonore d'Aquitaine et de Guyenne, au nom du roi, suivez-moi !

Jean mit une main sur l'épaule de la reine. Son ton était celui de la décision, on aurait dit qu'il savait exactement ce qu'il devait faire. Mais il ne savait rien de précis ! Le connétable lui avait dit d'enlever la reine et de la ramener au château de la Mahomerie en tout honneur. L'honneur était bafoué. Ses pensées incohérentes se frayaient des chemins confus alors que sa main brûlait au contact de la peau moite d'Éléonore.

– Vous entendez, mon oncle ? s'écria la reine.

Raymond de Poitiers n'était pas sourd. Un chevalier du roi Louis l'observait, l'épée à la main. Une loi de fer stupide le maintenait sur ce lit. Il ne pouvait rien pour sa maîtresse. Reine, elle avait oublié ses devoirs et sa dignité ; elle risquait la répudiation [1]. Éléonore comprit. Sa liaison s'arrêtait là. Fière, elle se vêtit. Elle n'eut aucun regard pour son amant en quittant la chambre.

Les hommes de Jean attendaient dehors. Éléonore les toisa un à un comme si elle ne voulait pas oublier leurs visages. Puis elle attendit d'être en vue de la Mahomerie où résidait son royal époux pour adresser la parole à son ravisseur.

– Ton nom, chevalier ?

– Jean d'Agnis.

Elle le devinait tendu. Elle montra de l'intérêt

_____

1. Elle fut répudiée en 1152.

pour l'emblème cousu sur le bliaut : une triple
flamme au-dessous d'une croix lunée.

– À quel fief appartiens-tu ?

– Au fief de Signes.

– Au fief de la cour d'Amour ! J'ai été enlevée
par un commandé de la douce Dame de Signes.
Honte à toi chevalier qui a trahi l'amour. Je
saurai me souvenir de ton blason. J'ai brisé des
hommes infiniment plus mauvais et dangereux
que toi. Où que tu ailles, il y aura toujours
quelqu'un pour t'enfoncer un fer dans le cœur.

Jean n'en entendit pas plus. La haute silhouette
du comte de Champagne, Henri, se montra. Le
noble compagnon du roi, flanqué de deux
archers, demanda à la reine de le suivre, laissant
Jean dans l'expectative. Le chevalier d'Agnis
avait fini par oublier Signes. Douze ans le séparaient de son départ du village. Cette année-là,
on fêtait le dixième anniversaire de la cour
d'Amour et le mariage de Bertrand avec la toute
jeune Bertrane. Événements lointains. Visages
estompés. Il était alors écuyer du vicomte de Marseille Hugues Geoffroi et rêvait d'exploits guerriers.

La marche sur Damas avait été décidée le
1er juillet 1148 et on avançait dans la fournaise
du désert syrien. Chaque village était l'enjeu
d'une bataille et d'un carnage. L'armée du roi
Louis rasait, brûlait, décapitait, empalait, puri-
fiant son âme par le feu et par le sang.

La guerre, ce n'était pas ainsi que Jean l'imaginait : tous ces cadavres et ces remugles de

chairs pourries, tous ces corps écharpés couverts de rats et de rapaces.

Il contempla les tourbillons de fumée noire au-dessus de la mosquée qu'il venait de dévaster avec ses frères d'armes. Tout le mal de cette religion s'en allait fondre dans le ciel de Dieu ; l'effondrement du minaret le conforta dans sa foi. Mais il y avait tous ces cadavres, soldats et civils confondus, hommes et femmes, avec parfois des enfants couronnant les pyramides de chairs mortes.

De grandes charretées d'ennemis étaient vidées à l'orée du désert. Ordre avait été donné de compter les têtes des Turcs. Les sergents du roi munis de crocs et de haches séparaient les têtes des troncs, traçaient des bâtons sur des tablettes.

– Une belle journée pour le Seigneur !

Jean sursauta.

– N'est-ce pas, Jean ?

Le Signois regarda le chevalier enjoué qui faisait virevolter son destrier. Il s'appelait Michel de Moulin, mais on le surnommait Michel le Souffleur à cause du grand olifant dont il se servait avant les batailles. Son arme favorite était le fléau ; il le brandissait en ce moment même, chassant les chiens jaunes et les rats qui venaient disputer les viandes molles aux vautours et aux mouches.

– Il me tarde d'arriver à Damas, répondit Jean.

– Tu veux te battre contre un vrai adversaire ? Nous le voulons tous ! braila Michel le Souffleur en fracassant le crâne d'un chien. J'ai hâte de me mesurer à l'élite turque, mais je ne dédaigne pas ces porcs-là ! ajouta-t-il en désignant de son arme les dépouilles musulmanes. Nous avons juré de jeter en Enfer tous les infidèles et ce vœu bien modeste est le seul nôtre. S'il le faut, j'irai tuer le dernier de ces mécréants au bord du monde où vivent les dragons !

Jean n'en doutait pas, mais il doutait plus des vœux prononcés par les barons, prisonniers de leurs mauvais penchants pour le pouvoir. Quand il croisait parfois le regard de ces nobles, il voyait combien l'abîme de leurs prunelles était trouble.

– Demain ! Demain, mon Jean, nous accomplirons la tâche voulue par Dieu en prenant Damas. Alors prie pour ton âme et aiguise ton épée !

Jean avait prié. L'épée était aiguisée, glissée dans le fourreau de cuir qui battait le flanc de sa monture. Le monde qu'il percevait à travers les fentes de son heaume était différent. Lorsqu'on coiffait cette cloche de fer qui descendait sous le menton, serrait la tête de toutes parts, un vertige vous prenait. La vision et l'ouïe s'amenuisaient, mais d'autres sens se développaient, l'odeur du métal décuplant l'instinct puissant de la guerre.

Ils étaient dix mille à se tenir face à l'immuable aridité du paysage. Quelque part derrière les crêtes pierreuses s'étalait Damas la Blanche et l'armée de Muīn-āl-Dīn Unūr forte de trente mille guerriers. Le nombre des Turcs n'effrayait pas Jean. À l'idée de se battre à un contre trois, il éprouvait une sorte de jouissance. Il n'était pas le seul. Tous ses hommes, tous ceux de Michel le Souffleur, retenaient l'envie d'éperonner leurs chevaux afin d'être les premiers à rencontrer l'infidèle. Soudain, un écuyer du Castelet et un chevalier de Senlis entamèrent le poème de Guillaume IX d'Aquitaine, cher au cœur de toute la chevalerie occidentale.

> *Bientôt m'en irai en exil*
> *En grande peur, en grand péril ;*
> *En guerre laisserai mon fils*
> *Et mal lui feront ses voisins.*
> *En prouesse et en joie je fus*
> *Mais je les quitte l'une et l'autre*
> *Et je m'en irai vers Celui*
> *Où tout pécheur trouve la paix.*
> *Bien ai été joyeux et gai,*
> *Mais Notre Seigneur ne le veut plus,*
> *Et plus n'en puis souffrir le faix*
> *Tant je m'approche de ma fin.*
> *J'ai tout laissé ce que j'aimais*
> *Et orgueil et chevalerie*
> *Puisqu'il plaît à Dieu, j'accepte tout*
> *Et prie qu'Il me retienne à lui.*

Beaucoup regardèrent les cieux. Là-haut était le meilleur, le délicat et le plus beau. Là-haut, on flottait panse en l'air sur la surface des nuages, et une ambroisie coulait des rayons des étoiles dans votre gosier. Là-haut, on montait des chevaux ailés et les anges tressaient des guirlandes fleuries sur des lances d'or. Là-haut, dans l'éternité des siècles, la culpabilité, les secrets, les mensonges n'avaient plus leur place ; on vivait dans l'adoration de Dieu.

Chacun avait sa vision du Paradis. Jean ne pouvait imaginer la sienne sous ce ciel nu et redoutable parcouru par les vents brûlants. Un galop rapide interrompit les deux poètes chevaliers. Un cavalier arrivait. Il filait droit vers l'armée, brisant les branches mortes et desséchées des arbustes. Jean se dressa sur les étriers pour reconnaître celui qui éperonnait sa monture ; un Français.

– Ils viennent ! Ils viennent ! cria-t-il en rejoignant la forêt des oriflammes et des drapeaux où se tenaient le roi Louis, l'empereur Conrad III, le comte Henri de Champagne, le comte Robert du Perche, Frédéric de Souabe, le duc Welf, l'évêque Othon de Freising, le comte de Toulouse Alphonse-Jourdain et cent autres barons étincelants dans leurs armures.

Peu après, des officiers bannerets s'éparpillèrent le long de la ligne de front. L'un d'eux vint, porteur de l'ordre royal.

– L'infidèle est à mille pas, derrière la crête que vous apercevez là. Nous devons la prendre avant lui. Michel, joue de l'olifant.

Michel s'empara de la corne d'ivoire et souffla. Le long mugissement anima le flot des hommes et des bêtes. Le son clair d'une trompette lui répondit, le roulement sourd de dix tambours allemands et l'appel d'une multitude de cors enflammèrent l'armée. Cris, fracas, tumulte, les sergents hurlaient des ordres à la piétaille, frappaient, cognaient pour retenir les téméraires.

– Dégagez le chemin ! Ôtez vos culs !

– Place ! Place ! criaient les cavaliers.

La troupe de Jean et celle de Michel le Souffleur s'élancèrent. Sur les destriers, les hommes rajustaient leurs casques, d'autres jargonnaient des phrases saintes ou infernales, invoquant le « Roi des Derniers Jours », qui n'était autre que

Louis VII selon les prédicateurs. Petit à petit, lance par lance, contingent par contingent, l'armée croisée poussa ses vagues. Quatre mille chevaux martelèrent le sol ; ce tonnerre éclatait avec un bruit de rocs roulés sur la surface du monde, les échos retentissaient dans les collines et une poussière opaque fendait le ciel en deux. La cavalerie monta à l'assaut de la crête qu'elle noya sous les franges de ses drapeaux. Elle apparut dans une lumière de cendre aux musulmans qui s'apprêtaient à grimper. Quelle digue dérisoire comptaient-ils opposer à la chevalerie chrétienne ? Les officiers se tournèrent vers l'émir et ses mollahs. Muīn-āl-Dīn Unūr ne voulait pas écouter ses proches, pas plus qu'il n'écouta son jeune cousin persan Ma'Sud.

– Tu vas faire massacrer en pure perte nos guerriers, et la gloire de Damas n'y gagnera rien car plus aucun de nous ne sera là, lorsque les barbares déferleront, pour témoigner d'un héroïsme inutile. À quoi bon gagner sa place auprès de Dieu si l'Islam cesse d'exister sur cette terre ?

Unūr contempla sa propre armée, immense, unie en un croissant sous les étendards vert et rouge ; il ne pouvait pas perdre. Il répondit :

– *Wa shamsi wa douhaha !* Par son soleil et son rayonnement, Dieu est avec moi où que je sois.

– Par le Diable ! Que de cafards réunis ! s'écria Michel le Souffleur en découvrant les troupes d'Unūr.

Il déplia les chaînes de son fléau et plaqua durement l'écu contre sa poitrine, jetant un œil sur Jean qui était à ses côtés, la lance encore relevée.

Jean sentit la saveur âcre envahir sa bouche. La sueur dégoulina de son front, ses joues se creusèrent, les battements de son cœur s'accélérèrent. « Nom de Dieu de nom de Dieu ! tous ces infidèles ! » Il voyait miroiter les umbos de milliers de boucliers à travers les fentes de son heaume. Moite et tremblant, dans un mélange de peur et de joie, il attendit la charge.

Elle commença lentement. Une ligne se détacha, puis une autre et encore une autre. Des sabots ferrés jaillissaient les premières étincelles, tandis que dans leur balancement régulier les lances caressaient le ciel. Puis on passa au trot et soudain ce fut le galop. D'un même instinct, les hommes et les destriers avaient entrepris de forcer le cours de leur destin.

Jean hurla. Il était à la pointe d'un grand triangle vibrant, dévalant la colline, sautant les bosses et ébourrant la terre de ses herbes calcinées. Labourant les flancs de son cheval, Michel tenta de le dépasser. Entre eux ce fut la course. Ils étaient deux points au centre d'un océan de poussière où brillaient les armes.

Jean abaissa sa lance et commença à bornoyer[1]. Il isola sa proie bien avant le choc : un grand Turc à cheval porteur d'un long angon barbelé.

Les soldats de l'émir commencèrent à s'affoler. La première volée de flèches n'avait pas ralenti la progression du bloc de fer et de cuir. Les

---

1. Viser.

cohortes de Mécherfé, les archers du djebel Aabb al-Aaziz se débandèrent dès le premier choc. La machine médiévale du roi de France percuta et fendit le corps de l'armée turque.

– Mort à l'infidèle ! hurla Jean d'Agnis.

Il troua son ennemi, sentit le frôlement du dard barbelé au ras de son épaule. Son Turc s'effondra comme s'effondraient en masse ses frères sous les chevaux. Jean abandonna la lance et prit l'épée.

– *Macte animo*, Jean ! *Fama volat !*[1] lança Michel en poussant son destrier dans la mêlée.

Et elle volait entre leurs mains. Le fléau du souffleur fracassait des têtes et des membres, l'épée du Signois prenait des vies. Les féaux français et provençaux taillaient les soldats d'Allah qui essayaient d'échapper à la violence des coups. Au cœur du combat, la bannière royale et l'étendard impérial se frayaient un chemin jusqu'aux drapeaux musulmans. Quand les mollahs tombèrent et que leurs têtes tranchées apparurent aux bouts de longues piques, l'élite d'Unūr se débanda. Une ovation stridente salua cette retraite folle. On vit les Turcs se piétiner, jeter leurs armes. Par essaims entiers, ils fuyaient vers Damas.

– Tue ! Tue ! Tue ! criaient les barons.

Ils avaient l'avantage. Ils pouvaient prendre la ville et porter un coup fatal à l'islam.

– Tue ! Tue ! Tue ! Pour l'amour du Christ !

Ils tuaient. Michel tuait. Jean tuait. Le sang poissait les poitrails des montures. Le sang coulait le long des épées, des angons et des framées.

---

1. Bon courage, Jean ! La renommée vole !

Jean vit le chevalier du Castelet disparaître sous
une meute ennemie. Il s'élança à son secours,
fendant l'air de son épée flamboyante, décapita
un Turc, éventra un officier. En vain... Le chevalier était déjà mort ; son heaume arraché laissait
à nu le visage blême aux yeux crevés. Il entendit
alors les trompettes royales demandant le regrou-
pement pour la charge finale, mais il était difficile de quitter la cohue où des Turcs encerclés se
battaient avec l'énergie du désespoir. Au loin,
Unūr et quinze mille hommes gagnaient les faubourgs de Damas. Jean, Michel, cinq cents cavaliers et mille piétons se dégagèrent et suivirent le
comte du Perche et le duc de Souabe.

Les chevaux se remirent au galop. La terre
trembla de nouveau. Sous son heaume, Jean avait
le visage en feu. Ses yeux fiévreux entrevoyaient
à peine le monde extérieur ; son cœur cognait
contre la cuirie. Les mailles de la cotte, le fer des
protections mettaient ses chairs à vif.

– L'émir nous échappe ! Il va s'enfermer dans
sa ville ! dit le comte Robert. Plus vite ! Plus vite !

Ça se gâtait, décidément. La bataille menaçait
de finir en siège. Au-delà des faubourgs, de hauts
murs crénelés protégeaient Damas.

– Pour le Christ ! cria Robert en s'emparant de
l'oriflamme à la croix rouge entourée de feuilles
d'olivier.

– En Enfer les païens ! ajouta le duc Welf.

Il y eut une poussée ; les chevaux semblaient
voler au ras du sol. Une cinquantaine de Turcs
restés en arrière furent broyés. La charge buta
sur les maisons des faubourgs. Il y avait là quelques centaines de soldats musulmans menés par

le gouverneur d'Urfa. Une volée de javelots accueillit les croisés.

– Pied à terre ! ordonna un sous-maréchal du Temple à ses chevaliers.

On les imita. Dans le dédale des faubourgs, les chevaux étaient inutiles. Jean se retrouva au milieu des terribles templiers qui ne redoutaient pas la mort. Il avança avec eux dans la mare de sang, marchant sur les cadavres et les blessés. Tous les coups, même ceux qu'ils recevaient, faisaient plaisir ; ils ne sentaient rien, la douleur n'existait plus, pouces coupés, estafilades, flancs ouverts, l'ivresse du combat faisait d'eux des surhommes.

Jean vit soudain le fléau mordre la face d'un musulman. Michel le Souffleur était à nouveau près de lui. Côte à côte, coincés dans un périmètre de fer, les deux chevaliers se battirent avec bravoure. Sous la protection de l'amande des écus, ils écartèrent les nombreuses javelines dardées sur leurs poitrines. De toutes parts, les épées courtes retombaient sur eux. Le Souffleur ne riait plus, un cimeterre venait d'ébrécher son écu. Il riposta. Son fléau fit craquer des os. Partout la mort frappait, partout... Elle s'inscrivait dans les regards des hommes, dans les cris et les râles. Le sous-maréchal du Temple s'effondra, une javeline plantée dans le foie. Il s'agrippa quelques secondes à Jean avant de rouler sous les chausses de ses compagnons. Personne ne fit attention à lui. Haletants, les guerriers ne regardaient que l'acier étroit des armes, cet acier qui savait si bien louvoyer entre les chairs quand ils manquaient d'attention. Pas à pas, rue après rue, les chrétiens grignotaient du terrain. Vint le moment du face

à face avec les gardes du gouverneur d'Urfa.
L'affrontement tourna court. Pris de folie, un
écuyer du duc Welf se jeta entre les rangs musulmans en moulinant avec une hache et atteignit le
gouverneur qu'il fendit d'un coup. Leur chef tué,
les gardes s'enfuirent.

Jean se mit à courir derrière eux mais ne put
en rattraper un seul. Dans sa course effrénée, il
distança les siens. Tout autour de lui, les maisons
brûlaient. Des courants faisaient tourbillonner
des flammes et des colonnes de fumée et se
répandre une cendre collante. Il voulut sortir de
la chaleur infernale de ce brouillard empoisonné
et alla de l'avant. Il émergea brusquement à l'air
pur et eut un choc en découvrant Damas. Devant
lui, à moins de cent toises, au sommet d'un empi-
lement de pierres taillées, une catapulte crachait
des boulets de feu. C'était une tour géante couronnée de créneaux, bourrée de soldats qui
criaient à chaque tir du formidable engin
manœuvré par des ingénieurs. Ils le virent soudain derrière son écu frappé de la flamme et de
la croix. Aussitôt une douzaine d'archers l'arro-
sèrent de traits et il dut son salut à la vitesse de
ses jambes.

Quand il parvint dans le faubourg embrasé,
Jean enleva son heaume. Des cavaliers chrétiens
passèrent en trombe, puis se fondirent dans la
tourmente. Comme il se trouvait parmi les poutres effondrées qui crevassaient une vaste ruine
fumante, il entendit un bruit de ferraille. La
forme du chevalier se matérialisa au milieu des
cendres avec une rapidité mystérieuse.

– Michel ! appela Jean avant de se fier à son
instinct.

Le fléau du Souffleur était humide de sang. Son écu, son heaume en étaient couverts. Il se tenait à demi fléchi sur ses jambes dans ce chaos désordonné de flammes et de fumerolles, les hurlements des combattants au loin.

Jean aurait été bien en peine de lire la moindre expression significative dans le regard du Souffleur qu'il voyait briller à travers les fentes du casque, mais ce n'était pas nécessaire ; il avait compris. Une coulée de glace descendit sur sa nuque : le Souffleur allait attaquer.

Les boules du fléau frappèrent le bouclier de Jean.

– Pourquoi ? s'écria le Signois en repoussant l'imposante masse du Français.

– J'appartiens à Éléonore, que tu as grandement offensée !

– Depuis quand es-tu à la reine ?

Pour toute réponse, Michel donna du fléau. Jean connaissait la réponse : des solidus, de l'or, un titre peut-être... Il y vit toute l'ignominie de la nouvelle chevalerie franque.

– Sois maudit ! lança-t-il en se fendant pour un seul coup d'épée.

Un seul fait pour tuer. Un seul à l'interstice de deux plaques de fer qui protégeaient la poitrine du Souffleur. La pointe de l'arme s'enfonça de dix pouces, perçant les mailles de la cotte, le cuir et la toile, les muscles et le cœur.

Le Souffleur recula. Son fléau quitta sa main, l'écu accrocha les poutres calcinées. Il grasseya quelque chose de parfaitement incompréhensible ; sa respiration était démontée, sifflante, pareille aux brasiers qui çà et là faisaient rage. Il charria sa peur de la mort en titubant puis s'effondra à plat ventre au centre d'un foyer rougeoyant, le heaume dans le remous brûlant des flammes.

L'ignominie de la nouvelle chevalerie, Jean d'Agnis la vérifia quatre jours plus tard. Alors que le siège de Damas devait se prolonger, on murmurait dans le camp des croisés que les musulmans avaient fait distribuer deux cents mille dinars aux barons.

– La délégation ! cria un garde.

Dans toute l'armée rassemblée autour des tentes royales et impériales se glissèrent la gêne et la honte. Jean se tenait sous la bannière du comte Henri de Champagne. Il vit arriver les Turcs. Un aigrefin vêtu de soie le menait ; il montait un cheval bai au col ouvert d'une diaprure de pierres semi-précieuses. Après avoir mis pied à terre et s'être incliné devant les princes, il commença à débobiner ses boniments en flagornant. Cela fleurait mauvais. Très mauvais. Il en vint très rapidement aux faits :

– Mon maître Muīn-al-Dīn Unūr vous fait savoir que Saif-al-Dīn, grand atabeg de Mossoul, vient à notre secours à la tête d'une armée de trente mille hommes. Si vous ne levez pas le siège, si mon maître se reconnaît trop faible pour défendre la ville contre vous, il la lui livrera ; et vous n'ignorez pas que, du jour où il possédera Damas, il ne vous sera plus possible de vous maintenir en Syrie.

Deux heures plus tard, ordre fut donné de se replier sur Surbeibé, à la frontière du royaume de Jérusalem. La deuxième croisade avait vécu.

141

Jean et les siens rangèrent leurs armes. Qu'allaient-ils devenir ? La plupart étaient célibataires ; ils ne voulaient pas retourner chez eux déshonorés. Les uns décidèrent d'offrir leurs services aux nobles de la région, les autres reprirent la route de l'errance avec l'idée de multiplier les exploits chevaleresques et de chercher le Saint-Graal. Jean d'Agnis fut de ces derniers, mais auparavant il avait une tâche à accomplir. La veille du départ, alors que le roi avait fait percer plus de trente tonneaux de vin et que les soldats cherchaient l'oubli dans l'ivresse, il se rendit dans le périmètre royal.

À la lumière d'un feu, Louis et Conrad, taciturnes, écoutaient brailler les seigneurs et ergoter leurs conseillers. Jamais veillée ne fut aussi longue et triste. Il y avait cependant, non loin du cénacle des grands chevaliers, un endroit où l'on ne cachait pas sa joie. Jean s'y dirigea. Il prit une profonde inspiration avant de pénétrer dans le cercle lumineux des torches.

– ... Bientôt nous serons dans nos fiefs et nos seigneurs lassés de guerroyer, vaincus, nous laisseront gouverner. Les croisades ont du bon, mes amies, elles font de nous des femmes veuves et libres...

Jean ne fut pas surpris en entendant ces propos. Celle qui les tenait n'était autre qu'Éléonore. La reine était allongée sur des coussins avec ses dames de compagnie. Un dais aux lambrequins pourpres prolongeait la vaste tente royale. Autour de cette avancée brillamment éclairée, il y avait toutes les épouses, les sœurs, les filles et les concubines des nobles croisés. Et ce monde rêvait au retour, à cette liberté chérie, aux pâturages de la douce France, aux oliviers de Provence, aux ressacs des plages normandes, aux troubadours, aux trouvères et aux amants. La reine Éléonore, à l'imagination fertile, savait insuffler ses idées. Elle présenta son corps à la flamme d'une torche et ses amies virent combien elle était belle, rayonnante, sincère dans le reflet du feu qui la chauffait. Elle fut prise d'un beau rire en voyant la confusion de la comtesse du Perche qu'on savait dévouée à l'Église. Elle allait lancer une drôlerie quand elle aperçut Jean.

D'un mouvement terrible, elle repoussa ses dames de compagnie. Aveuglée, comme folle, elle quitta la protection du dais et marcha vers le chevalier.

– Toi... toi !...

Les mots ne venaient pas. La colère embrumait son cerveau. Elle aurait voulu lui écraser la tête. La haine dont elle était secouée l'amena au bord des larmes.

– Si je suis venu à vous, commença Jean d'une voix blanche, ce n'est pas pour vous accuser de forfaiture, mais pour vous apporter ceci.

Il détacha les sangles d'un sac de toile qu'il portait à l'épaule et, le retournant, le vida aux pieds de la reine. Les femmes, curieuses, s'étaient rapprochées ; elles entendirent le cliquetis et demeurèrent surprises à la vue des deux objets sur le sol : un fléau d'arme et un olifant de grande taille.

– Nous sommes quittes à présent, continua Jean. Vous m'avez soumis à une sorte de jugement de Dieu et j'en suis sorti vainqueur. Adieu, ma Reine, que la mère de Jésus vous vienne en aide.

Il en avait terminé. Il s'inclina devant Éléonore, puis repartit.

Quelques instants plus tard, on entendit son cheval s'éloigner dans le désert, puis la reine balbutier : « Oh non, nous ne sommes pas quittes ! »

Chapitre X

Sur le cintre était gravé le vingt-troisième article de la cour d'Amour :

Moins dort et moins mange celui qu'assiège pensée d'amour.

Il sembla à Bertrane qu'elle le lisait pour la première fois. C'était pourtant elle qui avait fait inscrire ces mots et tant d'autres dans le château. Les visiteuses arrivant à cet endroit trouvaient cet article cocasse, car, au-delà du cintre, s'ouvraient les cuisines sous une succession de quatre voûtes.

Ce vaste chaudron s'animait dès l'aube. Il fallait nourrir les cent personnes du château, les voyageurs, les pauvres. Toute une foule d'écorcheurs, de cuisiniers et de valets aux larges épaules disparaissait sous les monticules de choux et de raves, derrière les jambons accrochés à des cordes, sous les empilements de volailles à qui on tordait le cou. Les uns découpaient les porcs, préparaient les bandes de lard, les autres versaient des pintes et des pintes de sang dans des bassines. Autour de ces diables maniant hachoirs, couteaux et couperets, les servantes aux lignes rondes s'agitaient les bras chargés d'oseille, de carottes, distribuaient du vin chaud, des baisers, des claques parfois. Elles s'abandonnaient à de fugaces étreintes au-dessus des cuisseaux et des fouaces rangés sur des lits de paille et on voyait se confondre leurs poitrines avec la pâleur des tranches de veau et la blondeur des pains de froment.

Lorsque Bertrane parut, ce joli monde se laissait aller tout en travaillant. Il y a peu de temps encore, elle souriait à la vue de ce tapage et de ces drôleries. Pas aujourd'hui. Ses gens étaient heureux. Pas elle. Elle leur en voulait. Elle n'acceptait plus leur insolence, leurs désirs poissards, la brutalité de ces amours qui naissaient entre les bouquets d'ails et d'oignons et s'achevaient dans le foin des étables.

– La Dame ! s'exclama quelqu'un.

Un silence se fit. On n'entendait plus que le chuintement de l'eau et des sauces dans les marmites, le caquètement d'une poule. Bertrane leur apparaissait comme une créature fantasque. Un esprit d'indépendance se cachait derrière ce visage de madone. Son cœur était d'une droiture absolue. Depuis son arrivée à Signes, elle avait changé leur vie. Eux, qui avaient toujours cru que la vie se traduisait par une peine et que cette peine chantée par les prêtres donnait une sorte de blanc-seing pour le Paradis, n'en croyaient plus rien. Le bonheur terrestre, cet avant-goût du Paradis dont ils n'avaient pas à rougir, ils le tenaient d'elle et des femmes de la cour d'Amour.

Elle les contempla. Beaucoup formaient des couples. Des lueurs de joie brillaient dans leurs regards. Toutes ces petites flammes affaiblies et obstinées étaient autant de messages de reconnaissance. De désir. D'appels à une autre vie.

Bertrane vit tout cela comme dans un songe qui réveillait les interdits. Alors elle eut une envie immense de fuir, de ne pas savoir ce que lui commandaient ses sens, de se sauver pour toujours, loin de ce besoin d'amour furieux qui la ravageait nuit et jour. Elle fit brusquement demi-tour et s'en alla dans l'envol des rubans mêlés à la tresse de ses cheveux. Elle voulait se retrouver à l'air libre, battue par les rafales du mistral qui soufflait depuis quatre jours. Avant d'atteindre les courtines, ses yeux ne purent s'empêcher de lire trois des articles que la main du gouverneur avait placés sur son chemin :

XVI. *À la vue de ce qu'on aime, on tremble.*
XVII. *Nouvel amour chasse l'ancien.*
XVIII. *Le mérite seul rend digne d'amour.*

C'en était trop. Elle émergea sous le ciel. Le vent la prit. Son mugissement lourd, son convoi d'odeurs et de poussière, loin de la calmer, lui mirent les nerfs à vif. Il pliait les ramures, charriait les instincts de la terre, parlait de guerre et d'amour. Ses rafales sifflaient entre les fissures des créneaux, prenaient à partie les sages oliviers, les cloches de Saint-Pierre et de Saint-Jean, poussaient les vols d'étourneaux vers le levant et les hommes aux abris. Elle l'affronta du haut d'une tour d'angle. Il plaqua sa robe entre ses jambes. Elle le sentit sur son ventre et sur ses seins. Il lui fit cligner les yeux. Il était fort, libre, égoïste, prenant son plaisir sur les courbes des montagnes et dans les creux ombrés des vallées.

– Mistral ! Mistral ! Dis-moi où se trouve mon bien-aimé.

Elle attendit. Elle entendit l'appel lointain d'un cor. C'était un signe. L'espoir venant, elle laissa errer son regard sur la blancheur de la Sainte-Baume qui étincelait sous le soleil. Elle s'attendait à voir pointer la lance d'un chevalier à l'horizon de cette solitude embrasée.

– *Faire de bouffins lou Mistraou* [1] n'a jamais fait de bien.

La comtesse de Dye ! Bertrane pressentit l'inévitable. Elle se détourna du mistral. Delphine se tenait à deux pas, les yeux ardemment fixés sur elle. Quelque chose de soupçonneux et de cruel glissait entre ses cils que le vent ne faisait pas battre.

– Avons-nous des messages ? demanda Bertrane.

– Rien qui mérite de réunir les dames en grand conseil. Deux femmes célibataires sont venues se plaindre de l'intérêt trop pressant des moines de Montrieux, un sergent de votre époux, Petit Baudouin, voudrait demander divorce, il en aime une autre. Il espère notre concours.

– Nous verrons cela plus tard...

Bertrane crut prudent d'affecter une certaine indifférence, mais Delphine jugea cette dérobade autrement. Elle lisait loin, la comtesse de Dye, profondément dans les pensées des autres. Elle

_____

1. Manger à pleine bouche le mistral.

trouvait un plaisir secret à mettre à nu les faiblesses humaines.

– Tu as changé. Ton dévouement à la Cour n'est plus le même. Je dirais même qu'il t'est pénible. Peut-être as-tu trop œuvré pour notre cause ? L'enthousiasme s'éteint quand on manque soi-même d'amour.

Delphine marqua un temps d'arrêt. L'ovale du visage de Bertrane ne se désunissait pas. Aucun tressaillement n'agitait le lait de cette peau. Pas une larme ne perlait. Le noir de l'œil gardait son mystère de pierre magique. Pourtant la comtesse de Dye savait qu'elle touchait au but. Elle était prête à suer sang et eau pour défaire cette merveilleuse figure.

– Je ne manque de rien, répliqua Bertrane.

– Alors comment se fait-il que ton ventre ne se soit jamais arrondi ?

– Bertrand est vieux.

– Et tu vieillis à ton tour. Il faut de l'expérience et de la grandeur pour diriger notre Cour.

Bertrane sentit monter l'émotion. Si elle ne réagissait pas, Delphine allait prendre le dessus et lui faire avouer le secret de sa virginité. De l'expérience, elle en avait à travers les autres. Elle avait fait de longues et courageuses randonnées dans les cœurs. Du sexe, elle connaissait tout ; elle ne blâmait même pas la luxure. Elle riposta :

– En huit ans de Cour, j'ai passé le temps de l'innocence, et mon expérience vaut bien celle d'une Messaline. Quant à la grandeur, elle peut très vite paraître une exagération de l'être, ma chère Delphine, qui fait naître immédiatement en moi l'idée de vide. Je n'ai rien d'une grenouille exagérément gonflée ; je n'ai rien non plus d'une *fiho bien estricado* [1]. Il faut de l'humilité pour bien servir notre cause, de la fraternité aussi. Humilité, fraternité, les as-tu, toi qui rêves de me remplacer ? Où est ta lumière ? En te regardant, je ne vois qu'une femme de soixante-dix ans aigrie par trois mariages, sept fausses couches et la perte de deux fils aux croisades.

À présent, Bertrane était lancée. Elle allait même trop loin. Elle déballait, crachait sa bile. Nul n'aurait pu la reconnaître. En quelques vérités durement lâchées, elle fit pâlir la comtesse de Dye. Delphine en était abasourdie. Des rides s'ajoutaient aux rides. Partout le fard artistiquement appliqué par sa servante se fissurait. Des creux laissaient paraître la peau parcheminée et jaunie. Le regard s'enfonça. Les lèvres se retroussèrent, montrant les chicots noircis. Elle s'apprêtait à lancer son fiel quand le cor sonna tout près.

Ce n'était pas un chasseur. Ni un messager. Elles reconnurent l'écuyer du chevalier de la tour de Font-Frège. Le jeune homme lancé au galop s'époumonait à souffler. Il dévala le chemin des Côtes au risque de se rompre les os. Sa monture se cabra au pied de la tour où se tenaient Bertrane et Delphine.

– Mes Dames ! Par le Seigneur ! Il me faut de l'aide ! Un grand malheur vient d'arriver.

Bertrane ne pouvait croire les paroles de l'écuyer. Aucune des femmes de la Cour, ni même Bertrand de Signes n'y croyait. Il fallait que leurs

_____

1. Une fille bien ajustée (sage et rangée).

yeux découvrent ce grand malheur. On s'était
préparé en hâte. Dames, soldats, chevaliers en
colonne grimpaient le long des flancs de la
Taoule. Ils parvinrent sur les terres de la Salomone où des paysans armés de faux et de fourches se joignirent à eux.

Ce fut une véritable petite armée qui arriva sur
les lieux du massacre. Il y avait là un vieil archer
qui tentait de repousser les corbeaux attirés par
l'odeur de la mort. Il faisait des moulinets avec
son arc, mais la pluie de plumes noires s'abattait
sans cesse sur les cadavres.

Bertrane avait la gorge sèche. Son cœur
cognait. Ses tempes bourdonnaient. Elle s'accrochait à la crinière de son cheval. À ses côtés, Jausserande avait la pâleur d'une statue de marbre.
Stéphanie les devançait, l'épée à la main. Elle fut
la première à atteindre le pré Orémus, la première à reconnaître les corps.

Bertrane arriva à son tour. L'horreur se peignit
sur son visage. Au centre d'un cercle de défen-
seurs aux plaies grandes ouvertes, Hermissende,
la dame de Posquières, et deux de ses compagnes
gisaient sur une souche.

– Hermissende ! cria Alalète.

Ce cri provoqua pleurs et gémissements. Les
femmes s'empressèrent autour des victimes,
courbées en deux, guettant des souffles, se
signant. Delphine les toucha, releva les têtes,
écouta les cœurs, puis elle se redressa, droite et
sévère dans ses jupes.

– Elles appartiennent à Dieu à présent, dit-elle
à Bertrane sur qui pesaient toutes les responsa-
bilités.

Bertrane croisa le regard de son époux. Lui

151

était déjà en prière avec frère Guillaume. Qui avait osé ôter la vie d'une dame de la cour d'Amour ? La sage Hermissende n'avait pas d'ennemi, aucun intérêt dans les successions de Provence ; elle n'appartenait à aucun des clans féodaux qui, de Dignes à Cassis, se livraient des guerres sans merci. Bertrane pensa au seigneur de Trets. Il fallait bien que ce soit un seigneur ; le coup avait été bien préparé. Douze soldats et six valets accompagnaient la dame de Posquières. Apparemment ils n'avaient pas résisté. Il y avait çà et là des traces profondes de sabots. Stéphanie les examinait quand Bertrane vint s'accroupir à ses côtés.

– Des chevaliers, souffla la comtesse des Baux.

– Nombreux ?

– Cinq ou six, mais ils n'étaient pas seuls, au moins vingt hommes ont participé à la charge au moment où Hermissende et les siens se reposaient.

Elles eurent toutes deux la vision du guet-apens, des cavaliers hurlants, des gardes de la dame paralysés par la surprise, de la ligne des lances dardées sur les poitrines.

– Je croyais cette route sûre, dit Bertrane.

Elle laissa errer son regard sur le large chemin ouvert treize siècles plus tôt par les légions de César en route pour le siège de Marseille. À toute heure, il y passait des voyageurs. Les pèlerins venant du village de Mazaugues se rendaient à la grotte de Sainte-Marie-Madeleine par ce chemin. Les marchands de Gémenos et de Fuveau y croisaient les colporteurs de Draguignan et de Fayence. Il menait aux marchés de Saint-Maximin et de Brignoles. Hermissende revenait de l'un de ces centres où elle se plaisait à acheter laines et draps, outils et babioles, et de très précieux citrons qu'elle offrait à ses amies.

– Rien n'est plus sûr dans ce monde de loups, répondit Stéphanie en se relevant.

« Je ne connais qu'une loi contre ceux qui ont commis ce crime, ajouta-t-elle en caressant la lame de l'épée... Le fer et le feu ! »

Elle fit quelques pas en regardant lentement la forêt environnante. La sylve mystérieuse emplie de buissons noirs et de clarté livide était silencieuse. Ils étaient repartis par là, ces chevaliers maudits, se fondant comme des gouttes d'ombre dans l'humidité des fougères.

Bertrane contempla à nouveau son Bertrand. Extatique et résigné, en conversation avec les anges, il paraissait incapable de les défendre. Elle se mit alors à espérer un changement. L'arrivée d'un preux de légende, d'un homme qui les délivrerait de tous les maux et de toutes les angoisses. Elle y pensa si fort qu'elle ne sentit pas ses ongles s'enfoncer dans les paumes de ses mains.

Jadis, il lui avait toujours paru que l'homme idéal devait être soldat et poète. Aussi s'était-il exercé à la rime après avoir étudié le théâtre grec à l'abbaye Saint-Victor de Marseille, ce qui s'était révélé plus difficile que l'apprentissage des armes. Après avoir peiné sous le joug de la plume pendant cinq années, il avait décidé de donner un tour différent à sa vie en partant pour la deuxième croisade.

À présent, il n'était ni soldat, ni poète, mais un insecte écrasé par la chaleur. Jean d'Agnis che-

minait le long du djebel Ansariya. Au loin
l'Oronte traversait la plaine. Sur ses bords, les
tapis acides des herbes étaient tachés de troupeaux. Depuis des jours, il cherchait l'armée du
prince d'Antioche, Raymond. Raymond était le
dernier représentant de la vraie chevalerie sur
cette terre. Louis VII et Conrad III avaient
renoncé à se battre contre les Turcs ; à cette
heure ils étaient peut-être en route pour l'Occident. Allez savoir... Aucune nouvelle ne parvenait
jusqu'ici où quelques poignées de colons survi-
vaient sur les marches du royaume de Dieu.

Jean s'en voulait d'avoir offensé le prince
d'Antioche chez lui. Il s'était juré de faire amende
honorable en lui offrant ses services. Au risque
de perdre sa tête.

– L'honneur vaut bien une tête, persifla-t-il.
N'est-ce pas, Hercule ?

Il avait décidé depuis peu d'appeler ainsi son
cheval. La bête avait une force incroyable.
Galoper des heures, escalader des falaises
rocheuses, franchir des torrents furieux, supporter les chocs dans les batailles, traverser des
feux, rien ne l'arrêtait. Le destrier dressa
l'oreille ; le maître lui parlait. Entre eux pas de
mensonges, ils étaient complices. Ils avaient
connu les mêmes peurs dans les ruines des cités
antiques peuplées de fantômes. Ce pays portait
les marques de centaines de guerres. Jean repéra
les colonnes d'un temple livré au sable et s'interrogea une fois de plus. Comment endiguer la violence sans user de la violence ? Comment sortir
de l'enchaînement des guerres justes ? Sa guerre,
sa croisade, son idéal lui paraissaient justes. Les
Turcs et les Arabes n'étaient pas ses prochains,

154

mais les serviteurs d'une religion dangereuse pour l'humanité. Il se devait de les tuer, d'en tuer un maximum, jusqu'à la limite de ses forces. Il se sentit l'âme d'un preux. À cet instant, une pensée lointaine l'effleura. Quelqu'un l'appelait ; il eut la certitude que c'était une femme située à des milliers de lieues de lui. Puis il pesta contre le soleil. L'astre ramolissait sa cervelle. Ça commençait avec des voix et ça continuait par des visions. Nombreux étaient ceux qui étaient devenus fous sur les routes de Jérusalem.

– Allons ! cria-t-il. Trouvons notre Prince.

Le prince, ils le trouvèrent quinze jours plus tard, le 29 juin 1149, à Fons Murez.

– Ils sont là ! dit Jean à Hercule.

Jean fut partagé entre la joie et la peine à la vue de tous les penons oscillant au-dessus des têtes casquées, des piqueurs francs couverts de boucliers, des archers ismaéliens empanachés de plumes. Ils étaient mille quatre cents. Une armée dérisoire. Une heure auparavant, Jean avait traversé les lignes des coalisés turcs menés par le prince d'Alep, Nūr-al-Dīn. Une nuée de sauterelles. Les infidèles étaient au moins trente mille.

Jean caressa le cou de son cheval.

– Je crois que Dieu nous recevra avant le crépuscule. Te sens-tu l'âme légère, mon beau ?

Hercule frissonna. Il avait compris. Quand l'homme le fit avancer vers les troupes chrétiennes, son cœur battit plus fort.

Le prince d'Antioche redressa sa haute stature. Raymond était un géant. Il dominait d'une tête tous les chevaliers de sa suite.

– Qui nous vient là ? dit-il.

155

Il vit le bouclier frappé de la croix émergeant des flammes et cela lui rappela quelque chose. Quand Jean se présenta, son sang bouillonna. Raymond avait en face de lui l'infâme brigand qui lui avait ravi Éléonore.

– Qu'on s'empare de lui et qu'on lui tranche la tête sur-le-champ ! hurla-t-il.

– Vous aurez besoin de mon épée, messire, dit Jean avec calme.

– Que vaut-elle entre les mains d'un chien ?

– Elle vaut au moins vingt cimeterres turcs. Vous êtes à peine plus de mille et ils sont des dizaines de milliers. Laissez-moi combattre à vos côtés et si Dieu nous prête vie après la bataille, alors vous pourrez disposer de ma tête comme bon vous semble.

Raymond le contempla longuement. Ce chevalier provençal paraissait sincère et courageux.

– Quel combat ce sera ! s'exclama soudain le prince. Quels martyrs nous ferons ! Reste près de moi, chevalier, nous réglerons ce différend au Paradis ! Ton nom ?

– Jean d'Agnis de Signes.

– Voilà mes ordres, Jean : éborgne, ébourre, étripe ! Que cette terre ingrate boive les augées de sang que tu répandras. Ceci est bon pour tous mes seigneurs.

Les deux grands qui le flanquaient, Renaud de Marash' et Étienne de Melun acquiescèrent.

– Prions ! commanda alors Raymond.

Il repoussa la cotte de mailles qui recouvrait son crâne. Son visage avait la patine d'un vieux bronze, avec des traînées plus claires là où des cicatrices rappelaient sa dure vie d'aventurier. Il s'éclaira cependant. Il ressembla à celui d'un anachorète touché par la grâce tout le temps que dura le *Notre Père*.

Jean l'imita. Sans illusion. Il se sentait l'âme lourde. Pleine de fautes. Il songeait à l'Enfer quand la rumeur gonfla.

Les musulmans arrivaient. L'horizon se teinta de fer et de cuivre. Les mamelons se couvrirent d'une épouvantable épaisseur de turbans. Des étendards criblés de lettres arabes et de croissants dansaient autour de Nūr-al-Dīn dont l'habit d'or resplendissait.

– Par saint Luc ! s'écria Renaud de Marash'.

Il en apparaissait sans cesse. Ils s'étendaient comme des tumeurs affreuses. Leurs armes brandies en désordre palpitaient sous les rayons obliques du matin. Ce corps bruyant et mouvant fut traversé de soubresauts quand les trompettes turques retentirent.

Jean, tous les chevaliers, le prince d'Antioche ouvraient grands les yeux. Ce n'était pas un mirage, mais, bien réelle, une véritable armée de métal ramifiée en lances, cimeterres et haches, qui recouvrait le sol à l'infini.

Les trente mille Turcs se figèrent. Les trompettes lancèrent un son plus aigu tandis que des cavaliers portant des fanions jaunes et bleus s'éparpillaient dans la masse.

Les chrétiens restèrent un moment sans comprendre ; ils regardèrent se mouvoir à nouveau les Turcs, puis s'épouvantèrent en comprenant la manœuvre. L'ennemi les encerclait. On attendit l'ordre de repli, mais Raymond se taisait. Quand il coiffa le heaume allemand qui faisait de lui une machine à tuer, ils comprirent qu'il fallait vaincre ou mourir.

Ils chargèrent et couchèrent plus de deux mille infidèles au premier choc. Une demi-heure plus tard leurs épées retombaient avec un bruit de massacre. Jean se battit avec rage. Il avait terrassé tant d'ennemis qu'il crut la partie gagnée, mais il en venait toujours plus. À un moment, il resta effaré et tremblant en comprenant qu'ils n'en viendraient pas à bout.

— Ta garde ! Ta garde ! Jean-foutre !

Le hurlement de Raymond lui fit redresser l'épée sur laquelle vint s'embrocher un homme. Le prince passa, tel un tourbillon. Il maniait une hache double. Il disparut dans une écume de sang.

— Le prince est mort ! cria quelqu'un.

Jean recula. Il vit sur sa gauche des chevaliers à la dérive, assaillis par des essaims d'infidèles. L'armée chrétienne s'émiettait, se recroquevillait. On apportait déjà des têtes à Nūr-al-Dīn. Il y eut un rugissement triomphal quand celle de Raymond d'Antioche fut tranchée.

— Sainte Marie mère de Dieu, balbutia Jean.

Il n'avait pas envie de crever en terre païenne. Il n'avait pas envie d'avoir la tête empaillée. Avec l'énergie du désespoir, il creusa à coups d'épée un passage. Une dépression s'ouvrait dans le désert. Elle était pleine de morts. Pas un Turc vivant ne s'y trouvait. Il s'y laissa tomber, abandonnant même son écu dans sa course. Il ignorait que l'ange de la mort l'épiait. Une flèche quitta le bouquet poussiéreux de la bataille pour le frapper au milieu du dos.

La brûlure se répandit en lui. Tout son passé,

en un clin d'œil évaporé, défila. Sa mère, ses frères, des visages d'antan, des paysages et des villes disparurent de sa mémoire. À chaque battement de cœur, le vide grandissait, grandissait, grandissait...

Chapitre XI

Le bel âge de l'automne habillait de feu les collines. Signes reposait dans la tiède et rousse concavité de sa vallée. Les femmes aimaient l'automne. La saison inspirait toutes sortes de romances langoureuses. Le besoin de jouissance devenait vague ; l'esprit s'élevait. On se sentait pris d'un renoncement des sens. Bertrane n'échappait pas à la règle. Deux heures après matines, elle grimpait au sommet du donjon avec Jausserande et Stéphanie. Un rituel. Elles prenaient leur temps, rassasiant leurs âmes à la vue du paysage paisible, des coulures cuivrées sur les flancs de la Sainte-Baume, des rangées fauves des vignobles, des embouches livrées au bétail et à la brume. Mais dès que leurs regards remontaient vers Taillane et se perdaient au-delà de l'éperon rocheux du Mourré d'Agnis, une souffrance vive serrait leur cœur. Elles songeaient à la pauvre Hermissende. La pensée brusque de sa mort leur ôtait tout plaisir. Une angoisse les torturait à l'idée que les assassins couraient toujours. Trois jours après le massacre, après maintes battues organisées avec les seigneurs des fiefs voisins,

161

Bertrand avait fait quelques prisonniers : des voleurs de poules, des rançonneurs de voyageurs mal armés, un seul véritable brigand soupçonné de viol et de meurtre. Ce dernier avait payé pour les autres. « L'énervation ! » avait clamé Bertrand malgré les protestations des dames. Aucune d'entre elles, sauf Delphine, n'avait assisté à ce spectacle donné sur la place du marché. Après la bénédiction de frère Guillaume, le brigand aux jambes tendues par des cordes avait eu les tendons des jarrets et des genoux brûlés, puis on l'avait relâché rampant et gémissant au sein de la forêt. Les loups s'étaient chargés d'en finir.

– Qui a intérêt à nous nuire ? demanda Jausserande à ses aînées.

– Qui sait ? répondit Stéphanie... le comte de Barcelone, les évêques de Marseille, les seigneurs de la Durance, les Génois, mon fils Hugon ?

– Ton fils ! ce serait grand péché ! s'étonna Bertrane.

– Il me hait, Bertrane, il nous hait...

Stéphanie avait ses propres espions. Elle en savait des choses sur son Hugon. Il avait décidé de continuer la guerre contre les Catalans. Bertrand et Gilbert, les deux derniers-nés de Stéphanie, venaient d'épouser la cause du rebelle. Elle ne pouvait plus compter que sur le second, Guillaume, réfugié dans son fief d'Eygalières.

– Hugon est bon chevalier, dit Bertrane. Tu l'as élevé dans la tradition ; vous vous êtes battus ensemble, vous avez communié ensemble ; ensemble vous avez juré de défendre l'honneur des Baux ; entre vous, il ne peut y avoir méchanceté et trahison.

– Hugon n'est pas le bon chevalier que tu crois,

Bertrane. Je te le dis en toute amitié : ton juge-ment sur les hommes est faux. Toutes ces femmes battues et violées qui viennent réclamer justice en notre Cour ; toutes ces pauvresses condam-nées aux fausses couches, à la peur, au mépris de l'Église, toutes nos sœurs sont bien moins consi-dérées que les porcs dans les étables et les che-vaux des écuries. Quel œil jette Bertrand sur toi ? Te sens-tu aimée, adulée, égale en droit ? Je connais bien mon Hugon et je connais bien les hommes de ce siècle. La puissance, voilà leur but. La seule chose au monde qu'ils désirent. Pour cette puissance, ils sont prêts à se croiser ! à vaincre le gardien du Graal ! à tuer père, mère, sœurs et frères ! Savoir qu'il y a un être sur terre qu'ils ne puissent plier à leur volonté les rend fous. Ce qu'il y a de pire chez Hugon et ses sem-blables, c'est leur conception de l'honneur ; elle passe par la destruction et la conquête.

Stéphanie reconnut ses propres errances. Elle avait eu ses moments de délire ; elle s'était prise au jeu de la guerre et de la renommée. Elle avait rêvé de prendre Barcelone, de marcher à travers l'Espagne sur Cordoue et de pourchasser les émirs jusqu'au Caire. Elle en frémissait encore ; et c'était dans ces instants d'interrogation que lui prenait l'envie de se confier à ses amies. Ces périodes de confidence, pendant lesquelles elle racontait des anecdotes de sa vie, les fastes de la seigneurie des Baux, les intrigues politiques, fai-saient l'enchantement de Bertrane et de Jausse-rande.

Mais ce jour-là, son discours fut interrompu par l'apparition d'un oiseau de malheur. Delphine se montra aux remparts avec ses demoiselles de compagnie. Cette présence rogue jeta un froid. La Dame de Dye avait la qualité spéciale de faire régner le silence. Elle lança son mauvais regard sur les trois femmes au-dessus d'elle. Ce qu'elle ressentit, elle l'exprima tout bas par une phrase qui résumait l'aversion qu'elle éprouvait à leur égard : « Que le Diable les emporte ! »

Ce vœu allait-il se réaliser ? Elle prit peur. Une chevauchée se fit entendre. Quelque chose venait par la route du Castelet. Un chevalier apparut. Derrière lui, les habitantes du château comptèrent vingt lances.

– Aquitaine, dit Stéphanie qui avait la mémoire des emblèmes.

Aquitaine ? L'imagination de ses jeunes amies fulgura. Elle les précipita au bord du grand océan qui marquait les limites du monde. De Bordeaux, elles ne connaissaient que les récits des voyageurs. Angoulême, Limoges, Saint-Sever, le Poitou, la Marche, le Béarn et le Bigorre sonnaient comme des noms de légende associés au puissant duché de Guyenne dont l'Aquitaine était le fleuron.

Le roulement des sabots éveilla le château. Des profondeurs mystérieuses de ses tours surgirent demoiselles et servantes. Une vie pleine de gaieté se montra aux voyageurs exténués. Ils abandonnèrent leurs montures sur l'aire aux Masques. Les jeunes filles devancèrent les sergents ; elles apportaient vins et fromages. Les soldats d'Aquitaine furent entourés, choyés, questionnés. Cette douce et inhabituelle tendresse réduisit leur fatigue en cendres ; ils goûtaient aux inoffensifs plaisirs de cette cour d'Amour vantée par les poètes.

Quand Bertrane, Stéphanie et Jausserande apparurent, les autres dames entouraient un homme arborant une double tour crénelée sur sa poitrine.

– Notre Dame à toutes, s'empressa de révéler la grosse Adalarie en s'écartant devant Bertrane, Bertrane de Signes.

L'homme s'inclina. Son visage respirait la guerre : sa bouche était une mince plaie horizontale, sa mâchoire encadrée d'une barbe gris fer semblait plus large que le front balafré. Ses yeux, pareils à la solitude bleue du ciel, révélaient un passé extraordinaire, dur et féroce. Une croix rouge était cousue sur son bliaut, entre l'épaule et le cœur. Un croisé. La tête de Jausserande chavira à la vue de ce signe. Elle n'entendit même pas qu'on prononçait son nom. Le chevalier la regarda avec insistance avant de montrer une profonde déférence quand Bertrane présenta Stéphanie des Baux.

– Edmond de Casteljaloux ! aboya-t-il.

– Casteljaloux ! s'écria Adalarie, en voilà un nom !

– *Par la jalousie véritable l'affection d'amour croit toujours* [1], lança avec malice Rostangue, la Dame de Pierrefeu.

Il y eut des rires. Le chevalier allait en prendre ombrage quand Bertrane intervint :

– Il suffit ! Il est notre hôte. *Desaro-ença foou viouro différemment.* [2]

Edmond de Casteljaloux eut un battement de paupières et un bref hochement de tête.

---

1. Vingt-et-unième maxime de la cour d'Amour.
2. Dorénavant il faut changer de conduite.

– Que nous vaut l'honneur de votre visite ? demanda Stéphanie qui échafaudait déjà le pire. Elle sentait les ennuis. L'homme n'était pas un tendre. Il ne ressemblait en rien aux messagers qui parcouraient la Provence. La guerre lui collait à la peau et il gardait la main à l'épée, preuve d'une habitude héritée sur les champs de bataille et dans les tournois.

– Éléonore reine de France m'envoie à vous.

Il y eut un silence. Les femmes saisies par la nouvelle ne pouvaient plus parler. Elles ne raisonnaient plus, elles rêvaient à Éléonore. Sous leurs paupières fiévreuses, la reine vivait, grandissait, étendait sa puissance sur leurs cœurs. L'émotion fermentait, le cercle se resserrait autour d'Edmond de Casteljaloux avec un bruit d'étoffes, de bracelets. On voulait en savoir plus. Des légendes couraient sur la jeune reine de France. Aucune des dames n'avait rencontré Éléonore. On la disait d'une incroyable beauté, passionnée par les arts et la poésie, avide de bonheur et de plaisir. Peut-être tenait-elle ce tempérament de son grand-père, Guillaume le Troubadour, duc d'Aquitaine ? On se racontait le mariage comme on se raconte un conte de fées : Éléonore et Louis unis douze ans plus tôt dans la cathédrale Saint-André de Bordeaux. Aux veillées, quand un voyageur venant des bords de la Gironde levait son hanap d'étain en l'honneur de l'héroïne couronnée en 1137 à l'âge de quinze ans, on avait droit à d'inégalées descriptions du mariage, à la profusion de l'or, aux chants montant vers l'infini. Ainsi perdurait la légende. Ainsi s'embellissait-elle d'année en année.

Il arriva un moment où dames et demoiselles

trépignèrent presque face à l'envoyé royal. Pourtant il ne s'était écoulé que quelques battements de cœur depuis qu'il avait dévoilé son appartenance à la première dame d'Occident. Les esprits galopaient, se trahissant par la soudaineté des regards vifs et sombres.

Edmond regarda Bertrane. La Dame de Signes gardait son calme. Étrangement, elle ne semblait pas souffrir de la même curiosité que ses sœurs d'amour. Le chevalier portait une sacoche de cuir à la hanche ; elle le vit en desserrer les sangles. Le parchemin roulé aux cachets de cire apparut entre ses mains. Il le lui tendit avec respect. En s'en emparant, Bertrane eut un imperceptible tressaillement des lèvres. Ce n'était pas une missive ordinaire mais la requête extraordinaire de la plus turbulente et la plus couronnée des femmes de ce monde.

La lettre était officiellement adressée à la cour d'Amour de Signes et aux comtesses Bertrane et Stéphanie. La règle exigeait qu'elle la lise à haute voix. Après les salutations d'usage, les louanges et les formules d'introduction, le style devenait personnel. Après un étonnant résumé de la croisade qu'elle qualifiait d'échec retentissant pour la chrétienté, Éléonore parlait d'elle : « ... Qu'avais-je en tête en prenant part à cette expédition, sinon de garantir le droit à chacun de prier en toute sérénité en Terre sainte, le droit d'anéantir cette peste qu'est l'islam ? Y avais-je encore seulement quelque chose quand je compris, et bien avant la défaite d'Alep, que la rapacité et la jalousie de nos seigneurs allaient anéantir nos espoirs ? Tout s'écroulait et mon devoir était de tout faire tenir aux côtés du roi. L'Orient qui vit naître et mourir

Jésus allait sombrer dans le chaos. J'avais cette vision en horreur. Tant de vies gaspillées, tant de foi perdue, l'Église de Jérusalem livrée aux hordes sauvages des Arabes et des Turcs, le monde appartenait au Malin. Un homme cependant pouvait redresser la situation, mon oncle Raymond de Poitiers, prince d'Antioche, auprès de qui je trouvai refuge. Grand amour et grande passion faisaient de lui le noble et preux chevalier que toute femme est en droit d'espérer et d'aimer. Je mis tout en œuvre pour unir nos forces aux siennes et, au-delà, fédérer tous les fiefs de la Terre sainte, mais le roi en prit ombrage. Louis dépêcha un traître infâme, l'un de ces chevaliers brigands prêts à se damner pour un peu d'or. Cet homme honni détruisit tout en une nuit en m'enlevant à la protection de Raymond. Dame Bertrane, il vous appartient de punir ce renégat après l'avoir jugé au sein de la Cour. Il s'appelle Jean et porte le titre de chevalier d'Agnis qui fait de lui l'un de vos vassaux... »

Un bourdonnement accueillit cette révélation. La surprise était de taille : un chevalier signois avait offensé la reine de France. Cela paraissait incroyable et d'autant plus inconcevable que nulle d'entre elles n'avait jamais entendu parler de ce Jean d'Agnis. Y avait-il seulement une tour, une maison forte sur le Mourré d'Agnis dominant le village ?

– Du calme ! commanda Stéphanie.

Bertrane continua à déchiffrer l'écriture de la reine. On apprit qu'Edmond de Casteljaloux devait être l'instrument de la vengeance royale. Éléonore demandait à Bertrane de le garder auprès d'elle jusqu'au jour où le chevalier maudit réapparaîtrait en Provence.

Bertrane acheva sa lecture. Elle en était atterrée et elle vit la même consternation chez Stéphanie et Jausserande. Quel déshonneur pour Signes !

– Cette affaire dépasse nos compétences ! se récria Mabille. Le devoir en incombe au comte Bertrand. Lui seul peut casser ce qui a été donné par l'adoubement. Ce Jean de Signes, quoi qu'il ait fait, reste chevalier et il est dit qu'un chevalier ne doit jamais user de son épée pour léser injustement quiconque, mais qu'il s'en serve toujours pour défendre le Juste et le Droit. S'il ne respecte pas la règle sacrée de son ordre, il appartient à son seigneur et à lui seul de le punir !

Edmond de Casteljaloux se tourna vers Mabille. La Dame d'Yères était toute rouge de colère. Elle n'admettait pas qu'on détournât les fonctions de la Cour. On leur imposait ce Casteljaloux chargé de punir en leur nom. Elle était dame d'honneur, Dame d'Amour et ne pouvait se prêter aux caprices d'une femme dont on connaissait la rouerie et les excès.

– Dois-je vous rappeler que c'est la volonté de la reine ? dit Edmond.

Les paroles étaient doucereuses, mais toutes sentirent combien il prenait à cœur cette mission, combien il était investi des pleins pouvoirs.

– Qui refusera ici d'obéir à la première dame de la chrétienté ?

La voix claqua. Elle était sèche et basse. Delphine la travaillait de l'aube au crépuscule. Au ton, ses demoiselles savaient à quoi s'en tenir. Et sous le ton, perçait souvent la menace.

Delphine parut satisfaite. Elle les avait refroidies. Mabille, qui la craignait, baissa les yeux quand elle la contempla en fronçant des sourcils. Restaient Bertrane, Stéphanie et Jausserande.

– Mes sœurs, on ne peut rejeter la demande d'Éléonore.

– Qui te dit que nous allons refuser notre aide ? répliqua Bertrane. Encore faudrait-il que ce chevalier fantôme revienne parmi les siens, si ces derniers existent ! D'Agnis nous ne connaissons que cette crête que vous apercevez là, chevalier Edmond, ajouta la Dame de Signes en pointant son doigt vers le nord. C'est le domaine des charbonniers et des bergers. Peut-être y vécurent quelques nobles ligures dans les temps très reculés, mais point de famille titrée depuis 949, année qui vit l'indépendance de ce fief avec l'arrivée d'Arlulfe Ier, illustre ancêtre de mon époux.

– Nous vérifierons tout ceci, dit Edmond.

– Comptez sur mon aide ! s'empressa de lancer Delphine. Si ce chevalier réapparaît, nous saurons le juger !

Bertrane allait sermonner la Dame de Dye qui outrepassait ses droits, mais elle se domina. Elle eut un simple regard qui fit reculer la vieille intrigante. C'était un étrange regard que les dames lui avaient déjà vu, un regard de juge qui prononce un arrêt de mort. Bertrane sentit la pression de la main de Stéphanie sur son bras. La comtesse des Baux se devait de reprendre les choses en main et montrer à l'étranger d'Aquitaine que la Cour n'était pas un lieu d'intrigues mais une juste juridiction avec ses règles et ses coutumes.

– Nous réglerons le cas Jean d'Agnis-Éléonore d'Aquitaine le temps venu, en débat public comme il se doit. Chevalier, il nous plaît de vous savoir parmi nous, mais vous ne pouvez rester en ce château réservé aux femmes. Passé cinquante ans, vous auriez pu dormir dans la tour aux Épis comme le font nos vieux gardes, mais malgré la grisaille de votre barbe, je doute que vous ayez atteint cet âge. Je vous accompagnerai à Château-Vieux où réside Bertrand de Signes et nous lui rendrons compte de cette première entrevue. N'en doutez pas, il se pliera aux volontés de la reine. Autre chose encore : il faudra vous séparer de cette troupe ; nous ne sommes pas en guerre et le Sarrasin a depuis longtemps disparu de nos côtes. Désignez un écuyer pour vous servir, nous pourvoirons à votre défense si ce terrible chevalier d'Agnis quittait l'Enfer dont il semble issu.

Edmond se rembrunit. La comtesse des Baux se moquait de lui. Il se tourna vers ses hommes et aboya le nom d'Ancelin. Aussitôt un jeune garçon au teint rose de fille quitta le groupe des guerriers. Jausserande eut un sourire pour ce nouveau venu. En voilà un qu'elle allait croquer. Après le maître, se ravisa-t-elle.

Tout avait été dit. Les hommes avaient bu vingt pintes de vin et dévoré les grosses miches de pain apportées par les servantes. On se sépara. Stéphanie, montée sur un alezan, emmena la troupe de Casteljaloux à Château-Vieux.

Le silence retomba sur le village. À chaque étage une soupe fumait, sous chaque toit une femme donnait son lait, le sage automne reprenait ses droits et fondait en une même flamme feuilles et herbes. L'automne à présent malme-

171

nait le cœur de Bertrane ; elle enviait Éléonore dont la vie n'était que printemps et amour. Ce Jean d'Agnis, n'était-il pas plutôt un amoureux éconduit par la reine ? C'était une vision romantique qui lui plaisait. Tout était possible. Éléonore savait mentir. Dans le domaine des sentiments, on ne pouvait jamais rien connaître ni prédire, ni même juger, avec un tant soit peu de réelle certitude. Ce dont elle était sûre concernait son propre avenir. Un exil solitaire et amer qu'elle passerait à devenir vieille et usée, sénile et stérile, à se remémorer indéfiniment les histoires des autres et les regrets. Sans amour, sans enfants, elle allait devenir une chose inutile mais choyée, comme le voulait son rang en Provence et sa fonction au sein de la Cour. Née homme, elle aurait fait son propre chemin, suivant ses impulsions et son instinct. Autrefois, elle rêvait de se retrouver dans la peau d'un garçon. Elle l'appelait de tous ses vœux en fermant les yeux, elle aurait donné n'importe quoi pour vivre cette expérience. Elle aurait couru vers une Bertrane esseulée pour l'enlever. Oui, elle aurait agi comme ce Jean d'Agnis.

Le mistral était au rendez-vous de la fête des Morts. Il s'était levé lors de la première messe. Il avait précédé le *Veni Creator* chanté par les fidèles. Ce souffle allait-il ranimer les âmes des défunts ? Il se frayait un chemin entre les dalles disjointes des tombes, il éparpillait les fleurs fraîches déposées sur les pierres monumentales. Bertrane et Bertrand s'étaient rendus dans la minuscule crypte où reposaient les ancêtres de

Signes. Le vent pénétrait même au fond de ce trou maçonné. Les flammes des torches tremblaient et tout un relief d'anges et de roses s'animait autour des caveaux. Comme Bertrand priait et pleurait en silence, s'imaginant déjà dans l'un de ces puits noirs et humides, Bertrane n'eut qu'une envie, le quitter sur-le-champ. Elle se mit à tousser, dérangeant son époux dans son repentir, et s'autorisa à remonter à l'air libre. Bertrand ne broncha pas ; il songeait trop à sauver son âme.

Bertrane retrouva l'ivresse que lui procurait le mistral. En une rafale, il chassa les miasmes accumulés sous terre. Il la libéra aussi de son époux dont l'odeur âcre imprégnait ses vêtements. En fait, elle avait sa petite idée. Elle avait envisagé la chose le lendemain de l'arrivée de Casteljaloux. Ce Jean d'Agnis, elle l'espérait vivant, avec un passé et un avenir. Si, comme elle le croyait, il aimait la reine, elle saurait le convaincre de renoncer à son entreprise. Encore fallait-il – Stéphanie le répétait assez – qu'il ne fût pas une légende. La comtesse des Baux pensait que toute cette histoire avait été montée ; il y avait maintenant au cœur des puissants fiefs de la Sainte-Baume un espion nommé Edmond de Casteljaloux et on savait combien l'Aquitaine et la Catalogne voulaient se rapprocher pour mieux dépecer la Provence. Bertrane réfutait ce plan extravagant. Jusqu'à présent, le chevalier Edmond n'avait soudoyé personne. Il passait son temps à enquêter. Ce Jean d'Agnis appartenait au fief de Signes et il allait le prouver.

Elle aussi.

Elle regarda autour d'elle. Le minuscule cime-

tière était tout en longueur. Dans un temps très
reculé, on avait creusé des tombes à mille pas de
Château-Vieux, au fond du ravin de Massebœuf.
Ce n'était pas le seul, il y en avait d'autres, près
de la source du Figaret, sous le coteau du
Paradis, à la Croix, dans le vallon de la Panouse,
à Cancerille et près de l'abîme des Morts.
Ceux-là, elle les connaissait pour les avoir appro-
chés lors de ses chevauchées avec Stéphanie et
Jausserande. Mais elle ignorait tout des cime-
tières abandonnés, des tombes isolées, des
anciens lieux de culte funéraire si nombreux sur
le vaste territoire de Signes. Jusqu'à ce jour, elle
ne s'était guère intéressée aux morts. Qui habitait
ces sépultures ? Elle se mit en quête de noms.
Elle espérait trouver celui de la famille d'Agnis.

Elle erra. Une poignée d'hommes et de femmes
échangeaient des propos avec les êtres aimés cou-
chés sous vingt pans de terre. Parfois, ils caressaient les pierres avec des gestes ralentis, les yeux
noyés, un vague sourire aux lèvres, ayant l'impression de frôler les âmes chéries de leurs
parents, de l'enfant enlevé trop tôt, du frère
tombé à la guerre. Dans un coin délaissé, des
marmots échappés des jupes de leurs mères
jouaient à la *caborno*[1]. À sa vue, ils s'éparpillèrent pour aller s'abattre au milieu des buissons.
Le cimetière, le ravin, le monde leur appartenait,
la garrigue retentissait du tapage de leurs sou-
liers sur les cailloux et de leurs rires emportés
par le vent.

Bertrane écouta s'éloigner cette vie. Quand le

---

1. Caverne (jeu de cache-cache).

silence retomba, elle chercha des indices sur les dalles. Du latin et du provençal mêlaient leurs lettres romaines en de courtes épitaphes. Les mêmes mots pérennisaient les chers disparus, à croire qu'ils étaient tous bons, tous vaillants, tous regrettés et qu'ils dormaient *in pace* du même sommeil des justes. Dans cette suite d'éloges, le nom des Agnis n'apparaissait pas. Elle s'en doutait. Il fallait chercher plus haut. Abandonnant la nécropole, elle contourna la colline du château et entreprit la longue ascension du Mourré d'Agnis. Le chemin était large. Les charbonniers et les bûcherons l'empruntaient. Leurs cahutes de branches entrelacées poussaient çà et là entre les chênes. Les fours à bois avaient été bâtis par dizaines sur le plateau qu'elle atteignit au bout d'une heure de marche. Elle vit les hommes noirs au travail sous les cônes de pierres sèches qui crachaient une fumée blanche aussitôt dissipée par le mistral.

– *La Damo! La Damo!* cria l'un d'eux en l'apercevant.

Ils se détachèrent un à un des fours, les bras ballants, confus de paraître sales devant leur Dame. C'était un grand honneur qu'elle leur faisait en venant seule. L'un d'eux s'agenouilla.

– *Que lou santousten ti venque*[1], dit-il avec une ferveur qui traduisait l'adoration que le peuple lui portait.

Bertrane n'aimait pas les voir s'abaisser ; elle le prit sous le bras et l'obligea à se relever.

---

1. Que le bonheur des saints t'advienne.

– Allons, allons, tu n'es pas à confesse. Ai-je l'air de ce bon chapelain Guillaume ?

Ils se mirent à rire en pensant au gros prieur de Château-Vieux. Et comme elle contemplait les fours, le plus vieux des charbonniers, qui devinait ses craintes, s'empressa de la rassurer.

– *Là terro es ben enfresqueirado*[1], elle a eu la pluie qu'il lui fallait en octobre. Tu n'as rien à craindre du feu, nous sommes des hommes d'expérience.

Il disait vrai. Leurs visages de cuir roussi, leurs mains cendrées, les marques des brûlures étaient les meilleures garanties de leur science du feu.

– Tu cherches la tombe ? fit soudain le vieux charbonnier.

Bertrane s'étonna. Comment pouvait-il savoir ? Elle se méfia. Les hommes des montagnes avaient des pouvoirs presque aussi grands que les sorcières de Signes la Noire. Lisait-il dans les pensées ? Interprétait-il les fumées qui s'allongeaient dans le ciel en chapelets énormes ?

Elle l'observa avec attention. Il n'exhalait aucune méchanceté de cet être fruste à la figure fripée par la misère.

– Dame Delphine et le chevalier Jaloux sont passés par ici à l'aube, avoua l'homme.

– Le Jaloux, on le porte pas dans notre cœur ! ajouta un autre.

– C'est un étranger de malheur ! On sait qu'il est venu punir un Signois, un d'Agnis ! Laisseras-tu faire ?

Les langues se déliaient. Casteljaloux était

---

1. La terre est bien humectée.

devenu le Jaloux. Dame Delphine, dame Chouette. Les veillées s'animaient aux noms de ces deux-là. Il se disait des choses fielleuses sur la reine Éléonore, sur le roi de France. La présence du chevalier Edmond avait réveillé les vieilles haines remontant au temps du partage de l'empire de Charlemagne, quand le roi de Provence Boson[1] devait lutter contre les Francs, les Bourguignons, les Germains et les Espagnols.

— La Chouette et le Jaloux ne trouveront jamais la pierre des Agnis. Nous les avons envoyés du côté de Mazaugues.

— Vous savez où elle se trouve ?

Les hommes devinrent silencieux. C'était leur secret. Cependant, ils ne pouvaient rien refuser à la Dame qui les protégeait. Le vieux soupira.

— Il existe une terre, au-delà du Cros Négadis, on l'appelle les Loins Sons parce qu'on y entend les nuits de pleine lune le chant léger d'une fée. Il y a longtemps, du temps du grand-père de mon grand-père, le vicomte de Marseille, Guillaume le Majeur, venait y chasser. Un jour, il blessa un sanglier. La bête furieuse l'aurait éventré s'il n'y avait eu Jean, un berger. Jean tua d'un coup de couteau l'animal qui chargeait le vicomte tombé à terre. Dame ! quel bel exploit... Guillaume donna les Loins Sons à son sauveur et prit son fils dans sa suite. La famille d'Agnis était née, une maison fut bâtie ; il n'en reste aujourd'hui qu'une ruine depuis que les Agnis se sont éparpillés dans le monde. Cette famille est notre honneur. Si ce

---

1. Premier roi de Provence de 879 à 887.

chevalier Jean revient parmi nous, nous le défendrons.

Tous les hommes se signèrent. La croix les liait au serment qu'ils faisaient tout bas.

– Je vais te conduire, dit enfin le charbonnier.

Il l'entraîna à travers une garrigue, puis au sein d'une forêt séculaire qui s'étendait sur des lieues. Les feuilles ruisselaient, dansaient sous les assauts du vent. Au-dessus de Bertrane, les arbres mêlaient la rouille de leurs branches mouvantes, au-dessous les taches de soleil jouaient avec le sang des feuilles mortes. Une lumière vivante caressait la jeune femme qui souhaita en ces instants de ne jamais mourir. La terre était trop belle. L'amour naissait là avec la forêt, le vent, l'humus et les fougères.

Au croisement de deux sentiers, son guide lui fit signe d'être prudente. Il lui montra un monceau de ronces. Au milieu de l'enlacement des épines, il y avait une statue. Malgré les craintes du charbonnier, Bertrane s'en approcha. Le temps et les intempéries avaient usé et raboté les traits de ce dieu païen de pierre. On lui avait cassé les bras. Un bélier et des flammes sculptées sur le socle qui le supportait surmontaient un texte en latin qu'elle eut du mal à traduire. Au bout d'un moment elle prononça à haute voix des mots qui la troublèrent : « *À Agnis, le protecteur, au ciel comme le soleil, dans l'air comme l'éclair et sur terre comme le feu.* »

– Dame Bertrane, il ne faut pas s'attarder ici, je sens *lou banaru*.

Le charbonnier sentait l'« encorné ». Le Diable

178

était peut-être dans les parages, mais alors c'était un bon diable car Bertrane était pénétrée d'une paix qui lui faisait oublier le but de cette exploration.

– La maison et la tombe des Agnis ne sont plus très loin ! lança le vieil homme en s'éloignant.

Un quart d'heure plus tard, Bertrane visita les ruines, quatre pans de murs, vestiges de la modeste demeure de la famille disparue. Puis elle découvrit la tombe où le nom des Agnis et leur symbole avaient été profondément gravés. Alors elle se mit à prier avec ferveur, demandant à Dieu le retour du chevalier Jean.

Chapitre XII

Comment puis-je l'atteindre ? Comment le puis-je ? La blancheur était à la fois essentielle et inaccessible. Elle diffusait une paix, un bien-être infini. Jean avait essayé de monter vers elle, ou du moins de voler, car il en était sûr : il n'avait plus ni bras ni jambes. Son corps terrestre était quelque part... Où ? Il l'avait oublié. Il se souvenait d'une guerre contre les mécréants, d'un roi, d'une reine. La blancheur s'intensifia. Une chaleur gagna l'esprit qu'il était devenu. Il sentit qu'il était proche de la vérité, de l'incommensurable amour de Dieu. Cette communion avec la blancheur était une sorte de rédemption, un merveilleux retour au commencement du monde. Puis il les vit se détacher de la neige qui emplissait sa vision. Pour la troisième fois, ils venaient à lui. D'eux, il ne connaissait que les visages aux yeux ardents, aux joues creuses, aux bouches exsangues. Il aurait voulu mettre des noms sur ces saints que le Tout-Puissant lui envoyait. Ces faces penchées sur son esprit, il les craignait. Elles le jugeaient. Il aurait voulu plaider son innocence, mais il n'avait aucune possibilité de s'exprimer.

Parti dans la violence, l'âme chargée de cent mensonges et de quelques crimes, il savait que d'un moment à l'autre, il pouvait être précipité en Enfer. Une fois de plus, il les entendit prier. Leurs voix accordées, monotones, lançaient des appels à la pitié. Cela lui fit du bien ; les saints demandaient au Seigneur de le sauver, ils lui disaient combien il avait été brave en Orient, qu'il s'était battu pour la juste cause.

Il y eut un amen et ils repartirent se fondre dans la pureté.

Un an ou un siècle passa. Jean ignorait tout de la marche du temps dans cet univers suspendu entre Paradis et Enfer. Cette sensation que l'Enfer existait quelque part au-dessous de lui, il la devait au froid qui parfois l'envahissait. L'Enfer n'était pas ce qu'on racontait ; il était désert de glace, noirceur et tristesse. Cette sensation était d'autant plus terrible que la source de chaleur semblait s'éloigner.

« Je dois lutter... »

Ils arrivèrent enfin. Ils glissèrent jusqu'à lui et il s'aperçut qu'ils étaient vêtus de blanc, qu'ils avaient des mains. Leurs figures se précisèrent. L'une d'elles surtout dont il sentait le souffle sur son esprit. Elle était impressionnante de dureté. Les stigmates de la passion s'étiolaient en une myriade de cicatrices. Il se souvint du visage d'un brûlé.

– Je crois qu'il revient, dit ce saint.

– Il a mérité nos prières.

– Frères, il a froid, couvrez-le.

Jean vit soudain la main du saint brûlé étendre

182

ses doigts. Cette main le toucha. C'était fini. Il se sentit repoussé. Il tomba, il cria, il chuta vers l'Enfer.

Un goût amer. Le froid s'immisçait en lui. Il avait retrouvé un corps pour mieux subir l'éternité des tourments. S'il faisait noir, c'était parce qu'il avait les yeux fermés. À l'idée de battre des paupières, un frisson s'ajouta aux autres frissons, le glaçant jusqu'à la moelle des os. Ses nouveaux sens perçurent des choses bizarres : une odeur froide d'encens, un tintement de clochette, des chuchotements. Son environnement proche grouillait d'une vie qui ne correspondait pas à sa vision de l'Enfer.

Il comprit. Il était au purgatoire. Son nouveau cœur s'emballa. Tout n'était pas perdu. Il compta comme autrefois quand il vivait sur terre. À cinq, il ouvrirait les yeux.

– Trois... quatre... cinq !

La frayeur agrandit le regard neuf qu'il jetait. La face brûlée du saint était toute proche de la sienne. Elle souffla son haleine fétide sur son nez. Il eut un gémissement de désespoir.

– À la bonne heure ! s'écria l'apparition. Nous voilà revenu parmi les vivants.

Jean ne comprenait rien à ce qui lui arrivait. Il pencha la tête sur le côté. Il y avait quelqu'un allongé dans de la paille à côté de lui. Une colonne s'élevait un peu plus loin. Il en suivit la ligne, puis la courbe qui se confondait avec une voûte peinte à l'image du jugement dernier. De l'or se concentrait là. Mille rayons partaient d'un Dieu de Gloire appelant à lui les vivants et les morts. Une légion d'anges sillonnaient une mosaïque de nuages. Des rubans et des spirales peints magnifiaient les dix commandements écrits en latin sous l'arc d'une chapelle où brûlait une forêt de cierges. Les lumières lui firent mal aux yeux ; il détourna son regard et retrouva les traits torturés de l'inconnu. Ce dernier sourit.

– Nous sommes dans l'église Saint-Cassien.

Jean essaya de se souvenir. Cassien... Des bulles éclatèrent dans sa tête. Autrefois, dans son apprentissage du latin, un clerc lui avait fait lire l'*Institution des monastères* et les *Dialogues* du fondateur de l'abbaye Saint-Victor à Marseille, l'écrivain-moine Cassien. Il se sentit rassuré. Puis la douleur vint, elle se propagea en lui, prenant sa source à l'endroit où la flèche l'avait traversé. Alors il se revit au centre de la mêlée, des Turcs, des cadavres. Il fit un effort pour chasser ces images et retomba dans l'inconscience.

Un mois s'était écoulé depuis son retour à la vie. Sa première surprise fut de découvrir qu'il se trouvait à Venise. Saint-Cassien[1] était occupée par une compagnie de templiers qui revenaient de Jérusalem. Ces moines-soldats l'avaient retrouvé très loin du lieu de la bataille où le prince d'Antioche était tombé. Son cheval le tirait par la ceinture ; la brave bête l'avait sauvé et la plus grande joie de Jean fut de la retrouver parmi les chevaux du Temple.

Plus surprenant encore, le temps de son incons-

_____

1. Église du Xe siècle, elle fut reconstruite au XVIIe.

184

cience. Il était resté trois semaines inanimé. Lors de son voyage sur la nave qui le ramenait en Occident, on avait failli le balancer par-dessus bord tant il puait la mort, mais frère Pierre s'y était opposé, arguant qu'on ne jetait point aux poissons un chevalier chrétien qui s'était si bien battu contre les Turcs. Frère Pierre était maréchal de l'Ordre, titre qui lui conférait une grande autorité. Les brûlures de son visage témoignaient de son courage lors d'un siège. L'huile bouillante ne l'avait pas arrêté sur l'échelle qu'il gravissait en portant le gonfalon.

Pierre l'avait soigné, aidé à marcher. Entre eux l'amitié était née.

– Jean ! appela Pierre.

Le chevalier de Signes abaissa son épée. Il se tourna vers le maréchal qui sortait de l'église avec cinq autres frères. C'était une délégation, il s'y attendait. Revêtus du manteau blanc frappé de la croix pattée rouge, ils s'approchèrent solennellement. Il se dégageait d'eux une force qui faisait l'admiration de Jean et inquiétait les Vénitiens. On craignait leur foi, leur âpreté en affaires, leur passion de la guerre.

– Ton bras est-il à nouveau vaillant ? demanda Pierre en contemplant l'épée de Jean.

– Il se fatigue vite, répondit le Signois.

Depuis qu'il tenait sur ses jambes, il s'entraînait deux fois par jour à manier les armes, retrouvant peu à peu ses réflexes de combattant, mais les forces lui faisaient encore défaut. Il s'en était rendu compte en croisant le fer avec Pierre. En une attaque suivie d'une feinte, le Templier l'avait désarmé.

– Tu es solide ! Et d'une bonne lignée. N'est-ce pas, mes frères ?

Les cinq frères acquiescèrent en silence. Tour à tour, ils s'étaient penchés sur la carcasse de Jean. Tour à tour, ils avaient épuré son corps par les soins et préservé son âme par les prières. Ce chevalier méritait d'appartenir à l'Ordre ; ils le souhaitaient.

– As-tu réfléchi à notre proposition ? demanda Pierre avec gravité.

– J'y songe, il faut me laisser encore une nuit.

– Comme tu voudras ! Nous repartons demain pour Malte. Ton adhésion à l'Ordre nous honorerait et ce serait grande joie pour moi de t'enseigner notre règle.

Ils le quittèrent pour la grosse nave frappée de la croix rouge qu'ils affrétaient. Elle était amarrée au bout d'une langue de terre, comme perdue dans la poussière soulevée par les sandales des fèvres du port. Venise grouillait. Des foules s'agitaient, s'entrecroisaient sur les quais et les ponts. Les canaux retentissaient des cris des marchands. À tout moment des barques lourdes de marbre, de tonneaux et de bétail passaient devant Jean ; il s'en échappait des chants. Ces voix se mêlaient à celles des charpentiers, des forgerons et des sculpteurs qui, jour après jour, venaient grossir les rangs des bâtisseurs de villes. Il partageait cette passion rythmée par les coups de boutoir des machines enfonçant les pilotis et les milliers de marteaux luttant contre la mer. C'était un appel. Il avait sa place parmi ces gens. Un homme de sa trempe pouvait prétendre au grade de capitaine dans l'une des nombreuses troupes servant les grandes familles vénitiennes.

Il était à la croisée du chemin. Partout dans le monde, des chevaliers transfuges se taillaient des fiefs, amassaient fortune. Il avait le choix. Personne ne l'attendait en Provence. En ce mois de novembre, la nuit tombait rapidement, un brouillard naissait de ses entrailles, effaçant en quelques instants les îles alentour. Jean redoutait ce passage. Dans les lagunes proches, ce n'étaient que feulements et plaintes. Les odeurs et les relents se faisaient plus forts ; des monstres marins pouvaient surgir de la fétidité des marais qui cernaient la ville flottante, des pillards attendaient l'heure propice pour s'approcher des entrepôts. Sortir de Venise la nuit était impossible.

Plus que d'habitude, Jean s'y sentit perclus. Pourtant, tout autour de lui, la vie continuait avec ses marins ivres, ses mendiants aux bosses noueuses, ses diseuses de bonne aventure et ses femmes aux chairs offertes. Depuis qu'il était rétabli, il n'avait jamais osé goûter aux plaisirs empoisonnés de la cité.

Une femme, dont la bouche était un fruit éclatant à la lueur d'une torche, l'appela.

– Viens, viens, bel étranger, j'aurai pour toi les caresses d'une esclave. Ma bouche est toute chaude, ma langue...

Il l'ignora et continua son chemin dans le dédale des canaux. Il marchait sous des enchevêtrements de poutres soutenant les façades, sans apercevoir le clignotement d'une bonne étoile au-delà du resserrement des toits. Le brouillard comblait les vides, glissait sur les eaux glauques de la cité, masquait les visages. Pour la dernière fois, il écouta les cris et les râles d'amour, le cré-

pitement de l'or sur les tables, les pas des gardes
réveillés par les coups que la grosse cloche de la
nouvelle église Saint-Marc lâchait toutes les deux
heures au cœur des ténèbres. Non, son destin
n'était pas ici, pas plus qu'il n'était parmi les
Templiers. Il s'était déjà battu pour Dieu. Quand
l'aube se leva, il sut qu'il ne prononcerait jamais
la formule sacrée : « Je me donne, je donne mon
corps et mon âme à Dieu, à Notre-Dame et aux
frères de la milice du Temple, ainsi que mes biens
et honneurs. »

Comme ils l'avaient dit, les frères l'attendaient
à bord de la nave. Jean s'y rendit, conduisant son
cheval par la bride. Pierre se tenait à la coupée,
veillant à la bonne marche des ultimes manœu-
vres dont la plus délicate était l'embarquement
des destriers. À la vue de Jean, il quitta son poste
d'observation pour l'accueillir bras ouverts.

– Mon ami ! J'ai cru que tu ne viendrais pas !

– Je ne pars pas avec vous.

Le maréchal du Temple ne put masquer sa
déception.

– Pourquoi ? Pourquoi ? Jean...

– Ma place n'est pas parmi vous, j'ai perdu la
foi, là-bas, dans le désert. Pierre, il ne faut pas
m'en vouloir. Je serais un piètre chevalier du
Christ.

– Nous défendons le Royaume de Dieu ! Nous
sommes le grain de sénevé des Évangiles. Après
nous, après la guerre, le Royaume deviendra
arbre et les oiseaux du ciel s'abriteront dans ses
branches, les hommes vivront heureux. Tout ne
sera qu'amour et paix.

– Je ne crois pas que l'amour puisse être

conquis à la pointe de l'épée. Je te l'ai dit, j'ai perdu la foi.

Pierre ne se tenait pas pour battu. Il changea d'argument en prenant Jean par les épaules.

– Si tu ne t'engages pas dans nos rangs, je ne pourrai rien pour ta foi et tu perdras bien plus encore. *Omne datum optimum*, sais-tu ce que cachent ces mots ?

Jean n'en avait aucune idée.

– C'est la bulle du pape Innocent II accordée au maître Robert de Craon à Latran, le 29 mars 1139, continua le Maréchal. Elle dit : « Nous vous exhortons de combattre avec ardeur les ennemis de la Croix, et en signe de récompense nous vous permettons de garder pour vous tout le butin que vous prendrez aux Sarrasins, sans que personne ait le droit de vous en réclamer une part, et nous déclarons que votre maison, avec toutes ses possessions acquises par la libéralité des princes, des aumônes, ou de n'importe quelle autre manière, demeure sous la tutelle et la protection du Saint-Siège. » Te rends-tu compte, Jean, de l'indépendance que nous confère cette bulle ? Une indépendance tant spirituelle que temporelle. Elle fait de nous des surhommes au-dessus des lois de ce monde ; elle pourrait faire de toi l'égal des plus grands.

Pierre ne cherchait plus à séduire. Ses mains longues et pâles trituraient les épaules du Signois. Sous le front ravagé et violacé, son regard sans paupières, un regard froid et rapace, tentait de pénétrer l'esprit de Jean. Il parlait des avantages ; il traçait des plans de conquête avec avidité. La vraie foi qui l'habitait s'était dissipée et c'était avec les viscères que ses paroles tentaient de convaincre. Il arriva un moment où, à court d'haleine et de mots, il regarda anxieusement son disciple dans l'espoir que ce dernier dise : « Oui, prends-moi dans ta troupe », mais il y avait trop de tristesse dans les yeux de Jean.

– Tu me promets gloire, honneur, Pierre... Cependant il y a de la souffrance dans tes propos. Cette douleur, je la connais, ce n'est pas celle de Notre-Seigneur Jésus-Christ. Je l'ai côtoyée en Orient ; la soif de l'argent et du pouvoir la provoque. J'ai vu les hommes mentir, s'entre-tuer pour quelques arpents de sable. Cette douleur m'empêcherait d'être heureux parmi vous. Tu m'as rendu à la vie, Pierre, et je t'en remercie. Rends-moi à mon destin à présent. Bénis-moi, mon frère.

Jean s'agenouilla. Pierre en avait la gorge nouée. Il fit le signe de croix.

– Que Dieu te garde !

Ce furent les dernières paroles qu'il prononça avant de remonter à bord du vaisseau. Longtemps après la disparition de la voile latine sur l'horizon, Jean sembla s'éveiller d'un interminable sommeil. Hercule lui léchait le visage. Son cheval s'impatientait.

– Tu as raison ! Quittons au plus vite ce pays de brumes ! s'exclama Jean en l'entraînant vers le nord de la cité.

Une heure plus tard, ils abordaient le continent. Le village de huttes et de masures qu'était Mestre abritait des milliers de colons rêvant de Venise. Au-delà du marécage qu'elle traversait, la route se séparait en deux tronçons. À l'ouest, il y avait Padoue et plus loin encore la Provence ; à l'est Trieste marquait la frontière entre les empires. Pendant un bref instant, il fut tenté par le levant ; puis il claqua la croupe d'Hercule.

– Nous allons suivre le soleil dans sa course ! Allez ! va ! et arrête-toi lorsque l'odeur des thyms et des romarins te chatouillera les naseaux. Le pays nous rappelle !

Le destrier emporta le chevalier. La vitesse les exaltait. La vie était si extraordinaire, si pleine, si belle. L'amour de l'aventure les guidait. Ardents, ils retrouvaient le chemin du Graal. Peu importait ce qui les attendait au bout de la route poudreuse, ils étaient prêts à affronter mille dangers.

Chapitre XIII

– Cent deux morts, annonça le moine au buste sanglé de fer et de cuir.

Hugon des Baux ne broncha pas. Il savourait. L'embuscade avait payé. Cent deux Catalans de moins. Ces chiens fourrageaient pour le compte d'un seigneur de l'Aude allié à Raimond Berenger de Barcelone, à présent ils grillaient en Enfer.

– Nous avons des prisonniers : cinq chevaliers espagnols, ajouta le moine-guerrier.

La nuit arrivait. Tout autour d'Hugon, les soldats épuisés se rassemblaient, les bras chargés d'armes prises sur le champ de bataille, d'autres rampaient encore parmi les cadavres qu'ils dépouillaient de leur or.

– Qu'on les pende ! répondit Hugon.

– Messire ! La rançon...

Le moine se tut. Il eut peur. Un dernier rayon frappait le visage du comte des Baux. D'une rougeur de feu, il accusait l'inhumanité des traits. Hugon avait maigri. Une fièvre perpétuelle brillait au fond de ses orbites, les os saillaient à travers la barbe naissante. Ses hommes regardaient cette face, fascinés et soumis, et ils voyaient, en cet instant de crépuscule, vivante et horrible, la figure en flammes de Satan.

Hugon poussa Degai vers le charnier. Le cheval ressemblait au maître. Son œil était gorgé du sang des soldats qu'il avait mordus et écrasés. Ils firent le tour du vallon en silence. Le plaisir d'Hugon diminua. Il ne se sentait pas satisfait de cette guérilla. Si au moins il avait eu le pouvoir ! Sa mère morte, il aurait pu fédérer les nobles Provençaux derrière la bannière des Baux, mais elle vivait. Elle se terrait à Signes avec les vipères de sa race. La cour d'Amour se dessina comme un mirage à l'horizon, au-delà de la fureur et de la vaine haine qui agitaient Hugon. Il eut un tremblement de tout le corps ; les tours de la Cour étaient là, droites et immuables, quels que fussent ses efforts pour les atteindre et les détruire. Tuer Stéphanie, tuer Bertrane, les tuer toutes, il le ferait bougrement de ses propres mains afin que le monde retournât au chaos. Il prit à témoin Degai et jura une fois de plus d'en finir avec les dames. Il fallait poursuivre la voie ordinaire de la vengeance et rester étranger aux règles de la chevalerie.

Quand on pendit les Espagnols, il retrouva son calme. Il en avait un grand besoin. Huit démons l'attendaient sur la route de Ganges et il devait s'y rendre seul car nul ne connaissait le pacte qui le liait à eux.

Le comte des Baux suivait la rivière tortueuse. L'Hérault bruissait doucement. La lueur argentée d'un croissant de lune éclairait les arbres sans feuilles. Le réseau compliqué des ombres empri-

sonnait le chemin sur lequel personne ne se risquait après vêpres. Il était seul avec sa haine. Pas
un souffle, aucun animal ne troublait la nuit. Le
pas de Degai avait une sonorité dure et glaciale
qui se répercutait sur les falaises. Hugon se fiait
à l'instinct de la bête ; il était pareil à un homme
qui ferme ses yeux et se bouche les oreilles pour
ne pas être guéri. Il était fait pour détruire ceux
qui l'aimaient, ceux qui l'approchaient. On ne se
rassasiait plus à l'étoile des Baux qu'il portait sur
la poitrine. Qui voyait les seize rayons du symbole voyait la mort en face.

Hugon doubla le fort de bois qui protégeait
Ganges et se dirigea vers les rochers de la Tude.
Il n'eut pas à aller loin. Une ancienne borne mil-
liaire qui résistait au temps apparut dans la
pâleur lunaire. Degai eut une réaction nerveuse.
Il rechignait à avancer. Il humait les laissées, les
bouses et le crottin près de la borne qui devait
être un lieu de halte, mais quelque chose le troublait. Ou des choses. Des présences mauvaises
que son esprit percevait à une centaine de pas
devant lui.

– Ils sont là, tu les sens, dit Hugon.

Il y eut un mouvement très faible dans la
pénombre, puis Hugon entendit le lent déplace-
ment des chevaux. Enfin, ils se montrèrent. Ils
avaient tous les huit leurs lourdes lances à
l'épaule et se protégeaient derrière leurs écus.
Hugon calma Degai.

– Ce sont des amis.

Ce n'étaient pas des amis ordinaires. La lune
découpa leurs silhouettes massives, leurs
heaumes rivetés et bosselés. Hugon reconnut
leurs blasons et mit un nom sur chacun d'eux.

Liénard d'Ouches, Conan de Montfort, Othe d'Auxerre, Gilbert de Bouville, Étienne de Borron, Robert de Béthune, Bonneval du Pont et Beraud le Lion formèrent un arc de cercle face au comte des Baux et lui rendirent une sorte d'hommage en abaissant leurs lances.

Hugon les contempla un à un, et un à un ils subirent le regard terrible que la nuit ne parvenait pas à cacher.

– Vous avez failli ! leur dit-il soudain en s'approchant de leur chef, Liénard d'Ouches.

Ce dernier gardait le silence. Hugon heurta l'écu à la rose noire avec son gantelet.

– Je vous avais pourtant largement payés, il me semble !

– Pas assez ! répondit Liénard. C'est un fief bien défendu dans lequel vous nous avez envoyés. Difficile de s'approcher de Signes sans être vu. La chance a été avec nous quand la Dame de Posquières s'est rendue à la foire de Saint-Maximin, nous l'avons mise en pièces avec ses gens avant de nous replier sur Aix. À présent, les dames se déplacent avec moult gardes. De plus, de nombreux seigneurs de la Sainte-Baume, des vallées du Gapeau et de l'Issole, du pays de Toulon et de Marseille ont solennellement fait vœu de défendre la cour d'Amour. Ne vous en déplaise, votre mère peut à toute heure lever une armée contre laquelle toutes vos forces réunies ne pourraient rien.

– Ma mère n'a aucune raison de marcher contre moi ! répliqua Hugon.

Cette idée l'avait déjà traversé. Pourtant, il n'avait rien à redouter. Sa mère, cette truie acariâtre, ignorait tout des sombres desseins qu'il nourrissait. La mort de dame Hermissende, il s'en était réjoui, il l'avait fêtée jusqu'à l'ivresse. Il aurait donné cent chevaux et mille deniers d'or au brave capable de ramener les têtes des neuf autres dames. Il sonda Liénard jusqu'à l'âme. Le chevalier à la rose n'avait peur de rien ; il descendait d'une lignée franque venue des brumes du Nord. En lui coulait toujours le sang des barbares qui avaient franchi le Rhin. Certes, il se disait chrétien, mais son âme n'était qu'épines et noirceur. Hugon avait devant lui un ilote en armes. Tout être avait un prix et il était prêt à payer pour s'enchaîner celui-ci jusqu'en Enfer.

– J'en conviens. J'ai mésestimé votre tâche. La cour d'Amour est bien défendue. Pour parvenir à nos fins, il faudrait d'abord prendre Château-Vieux et éliminer Bertrand de Signes.

Les huit chevaliers ne purent retenir leurs récriminations. Othe d'Auxerre menaça de rompre sur-le-champ ; Bonneval du Pont cria à la déraison ; Connan de Montfort demanda à Liénard d'être délié.

– Nous t'avions prêté serment jusqu'à la Toussaint ; ce délai est dépassé. Rends-nous à la liberté. Pour ma part, je vais en Grèce. On dit qu'il y a là-bas facile fortune à amasser ! Je ne veux pas crever sous les murs de Château-Vieux.

Hugon les laissa s'épuiser. Les braillards étaient légion en ce siècle de violence et de bravade. Il savait les calmer.

– Allons, chevaliers ! Laissez-moi achever. Il n'est pas question de faire la guerre à mon allié de Signes. Il existe un autre moyen...

Il fit un tour de magicien. Dans sa main ouverte apparut soudain une grosse bourse de cuir. Huit paires d'yeux s'amenuisèrent et pesèrent cette panse, l'estimant à deux bonnes livres. Hugon avoua le chiffre :

– Deux cents pièces.

La tension augmenta. Conan de Montfort fit volter son destrier avant de se rapprocher du comte des Baux.

– Deux cents solidus d'or, ajouta Hugon.

Un chevalier eut un rire nerveux. On ne tentait pas sans danger des hommes de leur trempe. Une épée glissa hors de son fourreau ; une hache fut détachée d'un sac.

– Tout doux, mes seigneurs, dit Hugon en lançant la bourse à Liénard. Gardez vos lames au chaud, vous en aurez besoin cet hiver au tournoi de Noël.

– Quel tournoi ?

– Le grand tournoi de Signes. Bertrand honore chaque année la mémoire de Guigo et Geoffroy, deux chevaliers signois qui participèrent à la prise de Jérusalem en 1099. On vient de loin pour se battre en champ clos. Nous y serons et nous frapperons ! Cet or est votre deuxième acompte. Vous en recevrez cinq fois plus quand les dames reposeront en terre. En outre, je vous ferai don de vingt manses de terre chacun ; l'acte sera passé à l'abbaye Saint-Victor à Marseille. Préparez-vous ! Prenez des écuyers et des valets, engagez deux douzaines de mercenaires allemands et rendez-vous à Château-Vieux, c'est là que je vous rejoindrai le dimanche de l'Avent.

L'or et la voix d'Hugon firent leur œuvre. Les huit chevaliers étaient à nouveau unis derrière le mauvais ange des Baux. Il leur tardait déjà de voir les dames allongées dans leurs cercueils, les paupières collées et les traits amincis.

Hugon se détacha d'eux. Ils le virent s'éloigner. La nuit l'avala et Othe d'Auxerre lâcha ces terribles paroles : « Que Dieu nous pardonne de nous être soumis aux puissances du mal, que Dieu nous pardonne... »

Padoue, Vérone, Parme, Gênes où il avait négocié son passage, Jean les oublia dès qu'il fut en vue de Marseille. Il empoigna Hercule par la crinière. Le cheval avait de la mémoire ; il piaffait d'impatience et tirait sur les cordes qui le liaient au mât.

– C'est chez nous, chez nous... balbutia Jean.

La ville reposait dans l'encoignure des collines grises, bien à l'abri derrière ses îles, derrière ses tours où claquaient les oriflammes, derrière les balistes et les scorpions qui défendaient l'entrée de la passe. Elle était née du soleil qui roussissait les tuiles brunes des toits, elle donnait sa chaleur à quarante mille âmes. Jean s'écorchait les yeux aux flèches des églises. La cité n'avait guère changé depuis trois ans. Seul le faubourg à l'est du ruisseau de la Canebière s'était agrandi. Au loin, l'éperon pétrifié de la Sainte-Baume fendait une écume de nuages. Il suivit du regard la crête aride de la montagne jusqu'à l'endroit où il supposait qu'était Signes. Il essaya de retrouver l'image du village, mais trop de temps s'était écoulé depuis l'arrivée de sa famille à Marseille. Il avait deux ans quand son père entra au service des évêques, cinq quand ses parents moururent de la fièvre quarte, dix quand son frère aîné disparut en mer, quinze lorsque sa sœur se maria avec un bourgeois de Montpellier, seize quand on le nomma écuyer.

Comme le navire pénétrait dans le goulet séparant la haute mer de la rade, la Sainte-Baume disparut, masquée par la colline au pied de laquelle l'abbaye fortifiée de Saint-Victor montrait sa toute-puissance en arborant les drapeaux du Saint-Siège, du Saint-Empire romain germanique, de la maison de Toulouse et de celle de Barcelone. Il fallut une bonne heure de manœuvre avant d'aborder l'un des quais de bois. Cinquante autres bateaux de fort tonnage et une multitude de barcasses étaient amarrés aux centaines de pilotis plantés dans la vase. Le port était comme un grand cœur dans lequel affluait le sang de l'Orient et de l'Afrique ; il nourrissait toute la Provence de Valence à Fréjus et son influence s'étendait bien au-delà de Lyon et de Perpignan.

Jean détacha Hercule dont l'œil rond roulait sur la marée humaine battant les montagnes de ballots et de tonneaux.

On attendait les nouveaux arrivants. Un bateau génois était toujours promesse de bonnes affaires. On fit des signes à Jean ; il y avait là des femmes joliment fardées. Elles lui rappelèrent ses escapades d'adolescent quand il se rendait rue Trou-de-Moustier ou rue des Trompeurs. Une chaleur se répandit en lui. Les belles montraient quelques parcelles de peau malgré la fraîcheur de l'air. Jeunes, âgées, elles s'étaient regroupées par clans. Au milieu de ces chairs et des gorges secouées par les rires, des hommes jaugeaient les passagers un à un. Jean devait s'en méfier. Il arrima ses bagages sur la croupe d'Hercule, glissa son argent sous la cuirie et prit la file des voyageurs. Quand il mit le pied sur le quai, on l'entoura immédiatement. Une paysanne lui fourra un poulet plumé et des légumes frais sur la poitrine. Un coutelier agita sous ses yeux un éventail de lames. Un clerc lui proposa quelques feuillets en peau de chèvre.

– Mon seigneur ! deux sous melgoriens le feuillet pour vos contrats ; les moines de Saint-Victor en font grand usage pour leurs écrits !

– Un demi-raymondin le poulet !

– Et mes couteaux ? Et mes couteaux ? Les meilleurs de Marseille ! Le petit pointu pour saigner les lapins, le recourbé qui écorche, pèle, cinq sous le tout !... Quatre sous !

Le bel accent l'enchantait. Il lui rappela l'enfance, les années heureuses où il fouinait dans le ventre gras de la cité avec une bande de morveux. La foule le soûlait de mots et d'odeurs. La sardine et la lavande mêlaient leurs effluves à la puanteur du goudron fondu que les calfats versaient au fond des coques. Jean repoussait gentiment toutes les propositions, écartait les mains un peu trop vives qui frôlaient son torse. Les malins n'ignoraient pas qu'il cachait ses deniers sous ses vêtements. Son argent, il l'avait chèrement gagné en enlevant Éléonore d'Aquitaine et il comptait bien s'en servir. Plus tard. À Signes. Pour rebâtir la maison de ses ancêtres et acheter du bétail.

Il allait parvenir à sortir du flot humain quand une matrone l'arrêta. Brune, bouclée, charnue, presque aussi grande que lui, elle ressemblait à une reine empâtée. Elle était alourdie de bijoux byzantins. Trois colliers aux chaînons pareils à des olives reposaient sur sa poitrine opulente et crémeuse dont les mamelons étaient prêts à jaillir hors du décolleté d'hermine.

— Un survivant de la croisade voudra-t-il goûter à mes fruits ?

Cette voix, cette effigie imposante lui rappelèrent vaguement quelque chose. La femme se rapprocha, colla son visage au sien et souffla son haleine acide. Elle empestait l'oignon cru et la vinasse.

— J'ai ce qu'il faut, beau chevalier.

Jean en doutait. Elle allait l'étouffer. Il fit un pas de côté. Elle ne désarma pas.

— Je connais vos mœurs, croisé. L'Orient vous a révélé des plaisirs subtils. Tu peux les retrouver à Marseille !

De quels plaisirs parlait-elle ? Pendant les trois années de campagne en Judée, il n'avait connu que les prostituées arabes et arméniennes qui suivaient les armées. Les étreintes rapides lui avaient laissé une saveur amère.

— Élise ! appela la matrone.

Une très jeune fille vint vers eux. Elle était rose, cueillie à l'orée de l'adolescence, vêtue d'une cape rouge qui dissimulait entièrement son corps.

— *Si vouès de gaou te n'en fare pas faouto.* [1]

La reine empâtée se fit gourmande. Ses lèvres s'arrondirent pour lancer un baiser.

— N'aie pas peur, Élise. C'est un vieil ami. N'est-ce pas, Jean ?

---

1. Si tu veux du plaisir, elle t'en fournira abondamment.

Jean contempla avec sévérité la maquerelle. D'où le connaissait-elle ? Il ne se souvenait pas de l'avoir rencontrée autrefois.

— Jean, te souviens-tu de la Maison Rouge, rue du Foie-de-Bœuf ?

Le bordel des évêques ! Bien sûr, il s'en souvenait. Il y avait perdu son pucelage et ses illusions. Soudain, il mit un nom sur cette tour de Babel faite femme.

— Aicarde Rajade la Joueuse !

— Hé oui, mon beau, la Joueuse de dés. Je tiens toujours mon rôle dans l'alcôve des perdants, mais les joueurs se font rares lorsque Noël approche. C'est pourquoi tu me vois en compagnie de ma nièce sur le port.

« Allez, montre-toi un peu à notre ami ! » ordonna-t-elle à Élise.

La jeune fille eut un mouvement bref des bras qu'elle cachait sous la cape. Elle écarta les pans du vêtement, révélant la fraîcheur de ses douze ou treize ans. Ainsi offerte, nue, elle eut un frisson.

— Alors, Jean d'Agnis, la brebis est-elle à ton goût ?

Jean avait à peine regardé Élise. Aicarde venait d'ajouter d'Agnis à son prénom. Il était impossible qu'elle le connût. Dans cet endroit sordide qu'était la Maison Rouge, on respectait une seule chose, l'anonymat. Il n'avait jamais joué contre Aicarde ; elle vidait les bourses en quelques lancements de dés. Il s'était constamment tenu à l'écart de l'alcôve des perdants quand il attendait son tour avec les filles de joie.

— Qui t'a dit mon nom ?

– Tu veux ma tendre nièce oui ou non ?

– Je t'en donne un solidus d'argent ! lança une voix.

Jean fit face à l'intrus. L'homme était un marchand italien qu'il reconnut aussitôt à son habit noir aux manches de soie. Ils avaient fait le voyage ensemble, l'un caressant son cheval, l'autre gardant avec ses deux commis plusieurs malles cadenassées. Avec son visage osseux et pâle, ses cheveux blancs coupés très court, il avait l'air d'un père supérieur de l'Église. Ses yeux démentaient cependant cette apparence austère. Ils brillaient d'un appétit féroce. Le marchand dévorait déjà la petite.

– Toi, tu décampes ! gronda Jean en dégainant son épée.

La pointe de l'épée piqua son cou. L'Italien recula sous le choc de la terreur. En un instant, il perdit sa solennité d'officiant et détala comme un esprit maléfique mis en déroute.

– *Capoun !*[1] hurla Aicarde. Je vais te crever les yeux.

Elle lança ses griffes vers le visage de Jean. L'épée changea aussitôt de cap et elle se coupa légèrement deux doigts sur le fil tranchant de la lame.

– Seigneur ! il m'a tuée ! gémit-elle en montrant sa main aux badauds hilares qui en redemandaient encore.

– Est-ce que deux deniers te ressusciteraient ? ironisa Jean.

– Des byzantins ? bégaya-t-elle en s'adoucissant.

---

1. Vaurien !

– Frappés dans le palais même du basileus Manuel.

– Tu as entendu, toi ? Ce bon chevalier nous fait la grâce de te choisir pour la nuit. Montre-lui le chemin ; tu lui serviras le vin chaud et tu lui laveras les pieds.

Élise prit Jean par la main. Elle le conduisit à travers le dédale du Panier. Elle habitait au fond d'une impasse. Cette entaille crasseuse donnait sur la rue de l'Éperon où il laissa son cheval à la garde d'un maréchal-ferrant.

– Nom de Dieu ! s'exclama-t-il.

La puanteur était atroce. Ordures et merde accumulées montaient presque à hauteur d'homme. Des tranchées coupaient à travers ces strates suintantes et brunes. L'une d'elles menait au taudis de cinq étages où vivait Élise.

– La municipalité nettoie au printemps, dit-elle sans paraître choquée par l'état de l'impasse.

Jean n'avait jamais vécu dans les retranchements où s'entassaient les pauvres. Dans les quartiers et les rues qu'autrefois il fréquentait, des contrats en « fâcherie » passés entre la ville et les particuliers prévoyaient un assainissement des voiries chaque samedi. Jamais les fèvres munis de racles et de curettes ne viendraient à bout de la pourriture qui collait aux murs de ces maisons étroites.

Un escalier de bois entrecoupé de passerelles conduisait au nid d'Élise. On n'y voyait pas grand-chose. Les pièces aux fenêtres obturées par des chiffons et des planches étaient noires, enfumées. Quelquefois les pleurs d'un bébé ou la toux d'un grabataire troublaient le silence.

La vie reprenait entre vêpres et complies quand

les adultes dans la force de l'âge revenaient du travail. Mais Jean l'imaginait, c'était une vie de violence, d'inceste et de peur.

– C'est tout en haut, dit la petite.

Jean eut envie de repartir. Il se sentait misérable, en rupture totale avec les règles de la chevalerie. Au quatrième étage, il s'apprêtait à redescendre quand la trogne d'un homme apparut à la lucarne d'une porte.

– Qui va là ?

– C'est moi, Élise ; j'ai quelqu'un.

La trogne grimaça. On entendit un cliquetis de clefs.

– Aicarde habite ici avec son frère, murmura Élise.

La porte s'ouvrit. La trogne émaciée et jaune appartenait à une piteuse créature vêtue d'un long bliaut de laine mitée. Un relent âcre émanait du frère d'Aicarde qui s'approcha du Signois. Il tenait une lampe à huile qu'il fit monter et descendre pour examiner le visage du client. À la lueur orangée de la flamme, Jean vit le regard fiévreux, les centaines de poux dans la tignasse, les furoncles sur le cou.

– Croisé ? fit l'être abject.

– Et chevalier ! ajouta brutalement Jean.

– Il a payé. Aicarde a l'argent, intervint Élise qui sentait la haine sourde que les deux hommes éprouvaient l'un pour l'autre.

– Où est-elle ?

– Elle est au vin, répondit Élise.

Le regard de l'homme changea. Jean comprit qu'il était alcoolique. Une soif de l'âme et du corps. Une soif qui provoqua un mouvement des lèvres, un tremblement des épaules.

– Viens, dit Élise à Jean.

Ils quittèrent l'homme absent qui songeait à la demi-émine qu'allait rapporter sa sœur. Sous le faîte, dans un espace de cinq pas sur quatre, il y avait un coffre, une paillasse et un tian. Des raies de lumière tombaient des tuiles disjointes posées sur les membrures vermoulues du toit. Il y faisait froid, il y faisait misère. La couche sur laquelle s'allongea Élise n'appelait pas au voyage voluptueux.

Jean s'enfonçait plus loin sur le mauvais chemin. Il avait échoué à Marseille avec ses illusions et il aurait donné plusieurs années de sa vie pour les retrouver. La pauvresse ouvrit sa cape. Elle eut un appel muet des yeux. Il s'accroupit près d'elle et ramena les pans du vêtement sur le corps frêle. Elle en fut effrayée ; c'était peut-être un drôle qui allait lui demander de faire des choses sales. Pourtant il n'avait pas l'air d'un méchant ; son regard était loyal.

– Je ne te veux pas de mal.

– Mais tu as payé !

– J'ai payé, il est vrai, et tu peux me contenter.

Le minois d'Élise se fronça. Cette inquiétude à fleur de peau, Jean la chassa d'une caresse sur la joue.

– Comment Aicarde a-t-elle appris mon nom ?

Élise s'étonna. Puis une autre anxiété troubla son visage. Ses yeux allèrent se perdre dans la nuit de la bâtisse que rien ne séparait d'eux. Il n'y avait ni porte, ni tenture. Jean coula un œil vers la découpure sombre. Il n'y avait d'autre présence que la leur. Les bruits et les odeurs familiers mouraient sur le seuil. Élise se rassura ; le pas lourd d'Aicarde ne se faisait pas encore entendre. Même ivre, la maquerelle était attentive à ce qui se passait ici.

– À la Maison Rouge... La Joueuse m'y emmène quand les affaires sont mauvaises sur le port, murmura Élise.

Elle eut un frisson. Elle se souvenait du chevalier qui avait fait irruption dans le bordel avec la pluie et le vent en pleine nuit. Il avait les traits durs, le mépris des prédicateurs qui rêvent de brûler les lieux de perdition. On voyait bien qu'il n'était pas venu chercher du plaisir à la façon dont il serrait la poignée de la grande épée qu'il portait à la hanche.

– Un chevalier a décrit ton blason, dit-elle en touchant du bout des doigts les flammes et la croix sur la poitrine de Jean.

– Un chevalier ? fit Jean, surpris par cette révélation. Son blason... Décris-moi son blason.

– Deux tours crénelées d'or... Il avait l'accent des gens de Toulouse.

Jean chercha dans ses souvenirs. Deux tours crénelées d'or, cela n'éveillait rien en lui.

– Il a promis un solidus d'or à qui lui donnerait des renseignements sur toi et dix à celui qui te ramènerait prisonnier à Signes.

– Signes, balbutia Jean sans comprendre.

Signes où il n'avait ni parent, ni ami, ni ennemi. Quel était ce nouveau coup du destin ?

– Son nom, tu t'en souviens ?

– Oh oui ! Casteljaloux.

– Je ne connais pas cet homme, souffla Jean avec dépit.

Soudain, Élise s'accrocha à lui.

– Elle arrive... Elle arrive...

Jean tendit l'oreille. Quelque part dans le ventre de la maison, les marches de bois gémissaient sous le poids d'Aicarde.

– Elle n'est pas seule, ajouta Élise.

Jean retrouva immédiatement son instinct de guerrier. L'errance, les guet-apens, l'Orient et ses déserts, les villes et leurs pièges l'avaient doté peu à peu d'un don d'ubiquité. Le danger était palpable ; il s'insinuait en lui, telle une lame glacée sous la nuque. Il en connaissait les signes avant-coureurs qui se manifestaient par un excès de salive et une sorte de jubilation intérieure. La Joueuse arrivait avec des dés pipés, mais il n'était pas homme à se laisser avoir.

Il eut un sourire pour Élise.

– Ton temps à Marseille est fini. Habille-toi pour la route, fais ton baluchon, je t'emmène avec moi, dit-il en lui mettant une main sur la bouche.

Elle le regarda avec des yeux de biche effrayée.

– Je vais faire de toi une femme libre, comprends-tu ?

Non, elle ne comprenait pas. « Libre » était bien plus difficile à prononcer que Dieu, Jésus, Sainte Vierge... Ce mot n'existait pas même dans son esprit. Elle sentit pourtant la joie, l'immense joie qui montait, l'envahissait et faisait naître ses larmes. Et elle fit ce que le noble chevalier lui demandait. Elle jeta la cape, enfila des braies, une tunique de laine, de gros cothurnes et un mantelet brun et elle rejoignit Jean sur le palier. L'épée à la main, il sondait du regard les profondeurs enfumées. La voie paraissait franche. Des enfants jouaient au rez-de-chaussée. On ne les

apercevait pas mais on entendait leurs braille-
ments.

– On y va, murmura-t-il.

Ils y allèrent sur la pointe des pieds ; le bois
des marches craquetait comme le sel dans le feu
malgré leurs précautions. Au quatrième, ils glissèrent le long du mur. Soudain Élise se crispa.
Jean sentit ses ongles sur son coude.

La face marbrée de rougeurs, Aicarde les observait par la lucarne.

– Alors, les tourtereaux, on file sans dire un
mot à la bonne Aicarde !

Il y avait quelque chose de démoniaque dans
les yeux de la Joueuse dont les billes noires rétré-
cies à l'extrême se perdaient sous les paupières
gonflées. Elle gueula brusquement un juron, puis
la porte s'ouvrit sur son frère et deux écorcheurs
armés de poignards arabes.

– Vivant ! Vivant, il me le faut !

Jean n'eut aucune pitié. L'épée décrivit un arc ;
le frère tomba en se tenant la poitrine. Élise vit
s'effondrer les deux autres en même temps, la
gorge tranchée. Aicarde arriva à son tour ; elle
était en furie. Ses doigts cherchèrent à déchirer
le visage du chevalier, mais dans le bond qu'elle
fit pour se jeter, son front rencontra le poing qui
tenait l'épée. Jean y avait mis toute sa force.
L'os craqua, les yeux de la Joueuse chavirèrent
et elle dégringola les marches devant une Élise
effarée.

– On quitte la ville ! cria Jean en tirant la petite
par la main.

Élise eut peur en enjambant le corps d'Aicarde ;
elle eut peur encore en retrouvant l'air libre, peur

toujours en franchissant la porte d'Italie et ce ne fut qu'après les fermes de Saint-Marcel que son cœur battit à la mesure du pas d'Hercule. Alors elle se laissa bercer par le lent mouvement de la croupe, la joue contre le dos de son sauveur.

Chapitre XIV

La nuit les rattrapa à Gémenos. Ils dormirent dans une auberge avec un groupe de pèlerins. Élise ne put fermer l'œil. Ce n'était pas les ronflements des hommes et des femmes entassés dans la longue salle, ni les courses des rats sur les poutres qui l'empêchèrent de sombrer dans le monde des rêves, mais l'inquiétude. Son brave chevalier courait au danger. Pourquoi se rendre à Signes ? Il y avait là-haut dans les montagnes un méchant qui l'attendait. Jusqu'à l'aube, la face de fer, grise et carrée du seigneur de Casteljaloux hanta ses pensées. Elle se rassura un peu en priant à la messe de prime dans l'église du village. Elle eut des mots secrets pour la Vierge qui la contemplait tendrement : « Dame du Ciel, j'ai peur de ce qu'il va advenir. Mon âme en moi tressaille toute pour le bon chevalier. Je demande grâce et protection pour lui. Je sens le Mal sur notre chemin. Vous qui êtes Amour et Justice, étendez vos mains sur sa vie, détournez l'épée et la lance, envoyez vos anges à ses côtés. »

La messe achevée, les pèlerins reprirent la route du col de l'Espigoulier. Jean et Élise allè-

rent sur le chemin du col de l'Ange. La séparation fut brève. Chaque fois on se disait adieu
comme si on ne devait plus se revoir en ce
monde. Le vent et la pluie effaçaient les pas,
emportaient les rires et les peines. Jean et Élise
avaient déjà oublié leurs visages quand deux
heures plus tard ils atteignirent la ruine de
Riboux. Les deux pans de mur de cette ancienne
maison forte n'abritaient plus que des ronces et
des corbeaux. Au moment où ils la dépassaient,
il y eut un envol d'ailes noires. Élise y vit un mauvais signe. Les oiseaux filèrent vers la
Sainte-Baume. Dans la vigueur de ses roches, la
montagne semblait être l'assise du monde. Des
forces impalpables demeuraient là depuis la nuit
des temps. L'âpreté de ce corps dépouillé qui
défiait le ciel la désespéra.

— Chevalier, il ne faut pas y aller.

— Je le dois, petite, je le dois.

— Mais ils vont vous meurtrir !

— J'ai échappé aux hordes turques, aux assassins, à la peste, aux démons du désert. Je ne crois
pas que le Tout-Puissant m'ait soumis à toutes ces
épreuves pour me faire périr de mort violente
chez moi... Non... il y a quelque chose au bout de
mon chemin... Une récompense.

Il contempla à son tour la Sainte-Baume.
Contrairement à Élise, il la voyait comme un
symbole d'espoir. Quand le mistral soufflait sur
ses flancs, des chants s'enflaient brusquement. Il
se souvenait de ces tempêtes ; elles emportaient
son cœur sur les chemins du ciel. Il était l'enfant
du vent d'aventure et de la montagne sacrée. Rien
ni personne ici-bas, entre la grotte de Sainte-

Marie-Madeleine et l'aven de la Solitude, ne pouvait le terrasser.

La soif de justice le poussait vers Signes. Si on l'accusait de forfaiture ou de crime, il saurait prouver son innocence ; il était même prêt à affronter le jugement de Dieu.

Le premier jugement ne fut pas celui de Dieu, mais celui du Diable.

– Si tu dois prier, c'est le moment, dit-il à Élise. Nous sommes en vue du pont du Diable.

Élise s'accrocha fermement aux hanches de Jean. Elle n'apercevait pas encore le vieux pont qui franchissait le Latay. Elle n'avait d'yeux que pour la tour de Paneyrolle. Une oriflamme noire y flottait. Jean avait évité l'édifice, sentant un danger. Quelque chose de mauvais vivait à cet endroit, il le sentait, Élise le sentait, Hercule le devinait. Le cheval était nerveux. Deux mille ans les séparaient des premiers hommes qui tremblaient à l'idée de se rendre dans ce lieu étrange et ils éprouvaient la même angoisse.

À vingt pas du pont, Hercule ne voulut plus avancer.

– Qu'as-tu ? lui demanda Jean en lui flattant le cou.

Le cheval s'énerva. Élise prit peur.

– Par tous les Saints ! jura Jean.

Il déboucha soudain de l'autre côté du pont. Noir sur un cheval noir. Noir aussi son heaume allemand qui couvrait son visage. Noir le blason frappé d'une tête rouge de loup. Ce chevalier sombre était bien plus grand que le prince d'An-

215

tioche. Des écailles d'airain couvraient le poitrail du solide destrier qu'il menait fermement.

– Qui est-il ? bégaya Élise.

– Dieu seul le sait, je ne connais pas son blason.

Il poussa Hercule vers le pont. Le fidèle compagnon humait l'odeur de l'autre bête. Il voulut canter mais son maître le retint.

– On ne charge pas avec une demoiselle en croupe ! Qui te dit que ces deux-là veulent en découdre ?

Hercule s'ébroua. Son instinct ne le trompait jamais. Celui de Jean non plus. Un picotement sous la nuque, une sensation de froid dans les flancs, il connaissait les signes.

– Inutile d'aller plus en avant ! clama le chevalier noir.

– Je vais à Signes !

– Il y avait d'autres routes. Celle-ci passe sur mes terres qui s'étendent de Riboux jusqu'à l'endroit où je me tiens. Vous les avez violées !

– Combien pour le droit de passage ? Dis ton prix !

– Ton sang !

Le chevalier noir mit pied à terre et tira du fourreau une longue épée d'acier mat. Jean descendit de selle, prit Élise entre ses bras. La petite avait la bouche ouverte sur un cri. La frayeur la paralysait. Sa peur ne passait pas ses lèvres exsangues.

– Mon sang est pour Jésus, pas pour ce démon ! Aie confiance ! De beaux jours nous attendent. *Là veyo de nouè faren sant creba.* [1]

_____

1. La veille de Noël, nous mangerons à en crever.

Il se voulait confiant, mais Élise ne l'entendait pas. Elle était sous le sortilège de la créature qui attendait l'affrontement sur le pont. Jean soupira. Il dégaina son épée, dédaignant se coiffer du heaume, et marcha vers le guerrier immobile.

Il ne s'était pas trompé ; il avait devant lui un géant. Il eut un instant de doute. Était-ce un être de chair et de sang ? Il ne voyait pas les yeux briller à travers les rayères obliques du casque. L'heaume dissimulait une chose mystérieuse, qui n'avait pas de nom, d'une grande cruauté.

Le poids de l'épée le ramena à la réalité. Il allait en avoir le cœur net. Il attaqua. C'était un coup terrible à fendre un roc. Il n'atteignit pas son but. Sa lame rencontra l'acier mat de la longue épée. Son bras vibra sous le choc.

Le chevalier noir eut un ricanement terrifiant avant de se ruer sur Jean. Il porta plusieurs attaques, toutes parées. À l'autre bout du pont, Élise n'avait même pas la force de prier. Elle écarquillait les yeux ; elle vit éclater les pierres du parapet, naître des étincelles sous le choc des armes. Les deux hommes se battaient avec des han de bûcherons. Elle se mordit le poing jusqu'au sang quand l'épée du chevalier noir entama l'épaule de Jean et ce même poing monta vers le ciel lorsque son champion coupa le ventre de l'adversaire. À un moment, ils reculèrent pour souffler. Élise crut que le duel s'achevait et qu'en nobles seigneurs, ils allaient reconnaître la valeur de l'autre. Il n'en fut rien. Ils repartirent à l'assaut en hurlant.

Plus d'une heure s'écoula avant qu'ils ne tombassent d'épuisement. Ils s'étaient entaillés. Ils perdaient beaucoup de sang. Jean fut le premier à perdre conscience. Le chevalier noir tituba en marchant vers le corps étendu avec l'intention d'en finir. Il ne vit pas venir Élise. La petite avait détaché l'écu. Elle l'abattit sur le heaume avec une force inouïe. Assommé, il s'écroula sur Jean.

– Jean ! Jean ! Mon chevalier ! cria-t-elle en se précipitant pour prendre son visage entre ses mains.

Il était froid, il ne réagissait pas. Elle posa son oreille sur sa poitrine et reprit espoir : sous la cotte de mailles, le cœur battait. Il lui fallait trouver du secours au plus vite. Sans hésiter, elle se rendit à la tour. Au pied de la fortification, il y avait des huttes. À son arrivée, il se forma un attroupement. On la regarda avec ébahissement. Il y avait bien là une cinquantaine de paysans qu'elle apostropha :

– Il y a sur le pont deux chevaliers mourants ! J'ai besoin de bras ! Nous devons les ramener ici pour les soigner. Au nom de Jésus, suivez-moi !

– L'un des deux porte-t-il l'emblème rouge du loup ?

– Oui ! répondit Élise.

Des femmes poussèrent des cris de détresse ; les hommes partirent en courant vers le pont. Moins d'un quart d'heure plus tard, les deux chevaliers étaient entre les mains d'une guérisseuse.

– Après-demain, ils trinqueront ensemble, affirma-t-elle à Élise.

La petite rayonna de bonheur. La vierge de Gémenos l'avait écoutée. Les anges protégeaient son bon chevalier. Elle retrouva le chemin de la prière et s'agenouilla entre les deux blessés. À présent, elle cherchait des mots nouveaux. Des mots pour Jean ; des mots pour le chevalier noir dont elle découvrait le visage fier et noble...

Dès qu'Edmond de Casteljaloux et son écuyer Ancelin de Gabarret se montrèrent au bas de la rue aux Juifs, les conversations cessèrent. À Signes, on se méfiait de ces deux fouineurs. La rue tortueuse et encaissée de maisons de bois était pleine du bruit et des chants des chaudronniers. Du matin au soir, des équipes mixtes de chrétiens et d'hébreux se relayaient aux forges. À coups de marteau, ils formaient et écrouissaient des lingots de cuivre. Bassines, gobelets, chaudrons naissaient entre la corne de leurs mains et on venait de Brignoles ou d'Ollioules acheter les objets qu'ils façonnaient avec amour. La rue aux Juifs donnait sur une place autrement plus colorée et animée avec ses deux fontaines d'eau vive où toutes les femmes descendaient prendre leur eau, sa grande taverne où les hommes buvaient le vin chaud, son carré de marché le long du Figaret.

Edmond s'immobilisa quelques instants. C'était là que se déliaient les langues ; les moindres événements y étaient commentés du matin au soir ; on y parlait des travaux des champs, de braconnage, des étrangers, des dames, de tout et de rien. Hélas pour lui, Edmond n'y avait jamais rien appris. On lui souriait, on lui vendait deux grives, un canard, on se plaignait du froid à venir et on le plaignait d'être si loin de sa famille. Edmond n'était pas dupe ; il était toléré par la grâce de Bertrane et de Stéphanie. Autour des fontaines, tout un bouquet de femmes portant des cruches pataugeaient dans la boue. Sur la rive droite du Figaret, il y avait foule. Le nouveau marché était à l'image de la nouvelle Signes. Sa jeunesse, son dynamisme, sa reconnaissance par l'épiscopat le plaçaient parmi les tout premiers entre Marseille et Toulon. Tous les produits des terres gastes, des vergers, des potagers et des mines y affluaient. On y entendait sonner les pièces d'argent, les raymondins, les melgoriens, les solidus, les deniers d'Italie, les marcs allemands. Le négoce ne s'arrêtait jamais, même en cette fin d'automne.

– Allons aux nouvelles, dit Edmond à son écuyer.

Ancelin se laissa mener entre les monticules de châtaignes et d'olives où les prix se discutaient âprement. C'était une mer de fruits bruns dans laquelle plongeaient les boisseaux et les pelles. Des enfants triaient ces tas moutonnants, écartant la mauvaise olive, cherchant le trou du ver sur l'écorce de la châtaigne. Edmond écoutait ce qui s'y disait. Quand il le pouvait. Certains parlaient un patois incompréhensible. C'était le cas des plâtriers et des charbonniers descendus des montagnes. Les rudes bonshommes attendaient le client qui passait entre la blancheur du gypse réduit en poudre et la noirceur des haies de charbon, et se lançaient dans de cours monologues quand un œil intéressé se fixait sur leurs marchandises. Lorsque Edmond et Ancelin déambulèrent parmi eux, les visages se fermèrent. Il y eut cependant un homme pour lancer : « Vous n'aurez jamais Jean d'Agnis. » Casteljaloux avait l'habitude. La première fois, il avait dégainé l'épée ; aussitôt une dizaine de pics et de couteaux était apparue entre les mains de ces sauvages. Toute violence était inutile ; il y aurait perdu la vie.

– Nous n'en tirerons jamais rien, dit Ancelin. Votre prime, pardonnez-moi, a eu un effet contraire. Regardez-les, ils rêvent de nous voir au gibet. Peut-être vaudrait-il mieux que ce Jean d'Agnis ne réapparaisse pas.

– Tais-toi ! Es-tu devenu couard ? Sais-tu ce qu'il t'en coûterait si tu ne remplissais pas la mission que t'a confiée la reine ?

Ancelin ravala sa salive. Elle passa dans sa gorge, que le bourreau d'Éléonore se chargerait de couper à la moindre occasion. Il tenait à devenir chevalier et cette occasion passait par le bon vouloir de sa reine. C'était bon de vivre, même en terre hostile. C'était bon et rassurant de voir tourner les saisons. Ancelin prit un plaisir soudain à être ici, parmi les paysans qui tressaient les tiges de genêt et offraient de longues toiles pour une poignée de sous, dans la chaleur des juments qui foulaient le sumac utilisé pour le tannage des cuirs, à sentir les baies de myrte avec lesquelles on assaisonnait poissons et viandes. Son cœur se mit à battre avec allégresse quand il vit les demoiselles de la Cour.

Elles assaillaient les chariots des colporteurs. Elles étaient cinq. Jausserande de Claustral et Adalarie d'Avignon, flanquées de trois jeunes compagnes, menaient le négoce. Maintenant Ancelin avait le regard clair d'un être qui s'éveille. Les pupilles de ses yeux bleus s'attachèrent aux frisons d'une nuque blonde. Il avait déjà rencontré la jeune fille gracile qui lui tournait le dos ; elle s'appelait Alix et servait Bertrane de Signes. Par une alchimie secrète, alors qu'il ne lui avait jamais adressé la parole, il en était tombé amoureux. Un soir dans la chapelle Saint-Jean, il avait fait vœu de défendre, aimer et honorer la demoiselle Alix. Il aspirait à porter ses couleurs ; il se voyait se battre en tournoi avec les rubans de la belle noués à son heaume. Mais comment lui avouer ses sentiments ? Il n'avait aucune expérience des femmes, rien d'un amant ; il ne pouvait agir par rage ni par ruse. Les habitantes de la Cour étaient bien plus hardies que leurs sœurs d'Aquitaine, surtout cette Jausserande qui le considérait comme un niais.

Jausserande se disputait avec un marchand. Un attroupement se fit. On se serrait à perdre haleine, maintenu debout par les culs et les ventres. Ancelin se retrouva contre Alix qui écoutait la Claustral se fâcher.

– Quoi ? Trois raymondins d'argent pour une toise de cette soie ? Un demi-marc d'argent pour ce carré d'étoffe ? C'est du vol ! J'ai l'œil et le toucher ; *leis estoffos goumados goffoun toujour !* [1] Pas celle-là. Elle a bien vingt ans d'âge ! On connaît bien vos méthodes, marchand. La qualité pour les villes, les invendus aux villages !

– C'est faux ! c'est faux ! répliqua le colporteur.

L'homme juché sur son banc était cramoisi. Cette rougeur tranchait avec la guirlande de sa barbe blanche. Il tira des coupons d'Orient aux motifs compliqués, des étoffes moirées, des trésors brochés, cloqués, côtelés fabriqués en Flandres, il ouvrit un coffret où miroitaient des perles et de l'ambre, soulevant et enfiévrant l'auditoire.

---

1. Les étoffes qui ont de l'apprêt bouffent.

222

Puis comme il voyait s'adoucir les traits de Jausserande, il descendit le prix de la soie d'un ray-
mondin.

Jausserande et Adalarie se penchèrent l'une
vers l'autre. Elles hésitaient. Le choix était difficile. L'œil ne parvenait pas à se fixer parmi le
dégorgement des tissus et les babioles éparpil-
lées. Leur échange ne dura pas, Jausserande
venait d'apercevoir Edmond.

— Il est là ! chuchota-t-elle.

— Qui ?

— Ne regarde pas... derrière toi, Casteljaloux.

Souriante, Adalarie se fit complice. Les demoiselles qui les accompagnaient eurent un mouvement discret de la tête et Alix rougit en
découvrant Ancelin si près d'elle. Si près qu'elle
sentit son souffle sur son visage. Confus, l'écuyer
recula. C'était peut-être le moment de lui offrir
une perle, mais la panique le prit. Il ne connaissait pas les goûts de la jeune fille ; il avait peur
de l'offenser ; il réalisa soudain la maigreur de sa
bourse. Avec ce que lui comptait chaque semaine
Casteljaloux, il pouvait tout juste nourrir son
cheval et boire deux hanaps de vin. De toute
façon, l'occasion lui échappait. À présent, l'intérêt d'Alix était ailleurs. Les jeunes filles retenaient leur souffle. Elles observaient le manège
de Jausserande. Cette dernière parlait à voix
basse avec le marchand.

— J'en ai toujours, répondit le bonhomme
matois.

— J'en veux un.

— Ce sera un quart de marc.

C'était cher, mais elle n'avait pas le temps de
marchander. Elle tira une piécette de sa bourse

223

et la glissa dans la main du colporteur. En échange, il lui donna ce qu'elle désirait : un citron. Un fruit si rare qu'on l'enfermait dans son coffre avec ses bijoux. Très rapidement, elle détacha une épingle de sa chevelure et piqua le fruit qu'elle pressa. Une goutte se forma. Elle la déposa sur ses lèvres et l'étala avec un doigt. L'acidité l'irrita. Le sang afflua. Les lèvres gonflèrent. On procédait toujours ainsi avant un rendez-vous galant.

Absorbé par sa quête de renseignements, Edmond de Casteljaloux n'avait rien remarqué. Lorsqu'elle l'aborda, la bouche turgescente et le regard brillant, il s'inclina avec respect.

– Vous venez dépenser l'argent de votre reine ?

Elle avait le don de le désarmer par ses questions ; elle n'y mettait aucune malice. Tant de naïveté et de spontanéité le perturbait. Elle était sans cesse sur son chemin, l'agaçant par ses cocasseries, ses pitreries et ses accès irréfléchis de gaieté, et lui qui estimait qu'on s'en tire toujours par la violence, acceptait avec gravité que ce feu follet troublât son existence. À l'évidence, elle lui plaisait. Était-ce dû à ses contacts répétés avec les Dames ? à ses longues conversations avec Bertrane et Stéphanie ? aux réunions de la Cour auxquelles il était invité ?... Il changeait. Certes il n'aurait jamais rien d'un poète, mais ses mœurs s'étaient adoucies. Il savait l'observer ; il devina qu'elle avait usé d'un artifice sur ses lèvres trop gourmandes. Pour le reste, aucun changement. La peau laiteuse, le nez mutin, les taches de son et le feu de ses cheveux faisaient de ce visage le plus étrange et le plus attirant de tous les visages de femme dont il se souvenait. Il avait même rêvé d'elle à plusieurs reprises. Elle lui apparaissait dévêtue dans un palais où chantaient des fontaines et des oiseaux multicolores. Les seins petits, les jambes minces, le ventre oblong, elle le contemplait sans détour de ses grands yeux gris-vert avant de l'inviter à la suivre. Mais quand il faisait l'effort de la rejoindre, il se retrouvait dans la tour froide où il dormait et il pensait alors à Bertrand de Signes couchant dans le donjon voisin, à l'affreuse tristesse d'une vie sans tendresse, sans désir, toute vouée à la prière.

– Je le dépenserai à juste raison quand un homme d'honneur ou une femme de bien me dira où se trouve le chevalier d'Agnis.

Jausserande se mit à rire de bon cœur avec ses amies. La rigueur et l'opiniâtreté de Casteljaloux finissaient par amuser tout Signes. Il poursuivait le vent, un fantôme.

– Attrape-t-on une ombre ? lui demanda-t-elle.

– Et s'il était mort ? dit Adalarie.

– Il me faudrait retrouver sa dépouille !

– Ô chevalier ! Chevalier ! Ne vous a-t-on point dit que les morts dérangés dans leur tombe se vengent toujours ?

– S'il faut mener la guerre contre les morts, je la mènerai ! clama Edmond.

Cette rodomontade ne plaisait pas à Ancelin qui remercia secrètement Alix de se signer. Son seigneur allait trop loin. Il avait mieux à faire avec la troublante Jausserande qui chassait les mauvais propos du chevalier d'Aquitaine d'une voix enfantine.

– On vous pardonne votre inconscience... Quand ouvrirez-vous les yeux, Edmond ? Il est temps d'oublier les vaines querelles... Je ne

225

comprends pas... Je ne comprends rien... Je n'aime pas la guerre, je n'aime pas la violence... *Personne sans raison plus que suffisante ne doit être privé de son droit en amour.*

Avec l'article huit de la règle d'Amour, Jausserande venait de lancer son grappin ; elle y ajouta son sourire et : « Vous porterez mes couleurs au tournoi, le rouge de la chance et le gris du verseau. »

Edmont mit la main sur son cœur.

– Je jure que la quintefeuille ne mordra pas la poussière sans que mon sang coule.

C'était un engagement sans concession. Il venait de faire sien l'honneur des Claustral et la fleur grise à cinq pétales de leur blason. Pourtant il ne songeait pas au tournoi. Son cœur cognait contre sa paume. Il songeait aux baisers, aux caresses, aux murmures, à la peau de Jausserande, à ses jambes mêlées aux siennes. Et sa mission ? À supposer qu'elle puisse être en quelque façon supérieure, qu'est-ce que cela avait à faire avec la réalité ? Il était à des centaines de lieues de sa reine ; entre les caprices d'Éléonore et la magie d'un sourire juvénile, il n'hésitait plus. Au diable Jean d'Agnis ! Il préférait le tendre asservissement à une dame de la Cour.

Pendant tout ce temps-là, Ancelin espéra un signe d'Alix, un battement de cils, un frémissement des lèvres, un regard appuyé, une pensée effleurant son esprit. Elle n'en fit rien. Son espoir se convertit en un sentiment de détresse d'autant plus fort que le chevalier de Casteljaloux rayonnait de bonheur.

Lorsqu'ils regagnèrent Château-Vieux, Edmond ne fit aucune allusion à la longueur inaccoutumée du silence de son écuyer. Il ne fit aucune des remarques amères habituelles ; il ne donna aucun ordre. On ne parla plus de Jean d'Agnis.

La solitude, Ancelin le sentait, il n'allait pas la supporter longtemps. Il se rendit à la chapelle de Notre-Dame-l'Éloignée et s'allongea les bras en croix sur les dalles froides face à l'autel. Il n'était pas au soir de son adoubement, il n'était qu'un être fragile qui demandait secours à la Dame du Ciel.

Chapitre XV

Le temps de l'observation était terminé. Il avait duré deux jours. Il ne leur avait pas été facile de se parler. Et peut-être ne l'auraient-ils jamais fait sans la présence d'Élise. Par sa douceur et ses attentions, elle avait évité le pire. À peine remis de leur fatigue, Jean et Robert avaient réclamé leurs armes. Se battre. Se surpasser. Remettre ça à coups de hache, de poignard, avec n'importe quoi de coupant et de tranchant. Il y allait de leur honneur. Alors qu'ils se montaient la tête en s'insultant, Élise s'était fâchée.

– Ça se dit chevalier ! Quelle honte. Seuls les hommes stupides et cruels placent leur honneur dans leur ventre et j'en sais quelque chose pour les avoir subis dans le mien. Vous n'êtes pas dignes de vos vœux ! *Malo pergo !*[1] je n'ai que faire de manants tels que vous ! Étripez-vous ! Saignez-vous ! Allez ! qu'attendez-vous ? Vous voulez des armes ? En voici !

Furieuse, elle alla à l'âtre, se saisit d'un tison-

_____
1. Male peste !

229

nier et d'un crochet à chaudron qu'elle jeta entre les deux hommes.

Ni l'un ni l'autre ne s'en emparèrent. Manants, c'était ainsi qu'ils apparaissaient à ses yeux, de vulgaires roturiers au service d'un seigneur, des vilains qu'un peu de vinasse rend courageux. Piqués dans leur orgueil, ils clamèrent leur nom et leurs titres comme l'aurait fait un héraut à la cour du roi de France. C'était ridicule, ils en prirent conscience et éclatèrent d'un grand rire en se saisissant d'Élise. Ils la firent tourner et tourner jusqu'à ce que le plancher se mît à tanguer.

Jamais rire n'avait retenti dans la tour de Paneyrolle avant l'arrivée de Jean et Élise. Depuis la mort de sa jeune épouse dix ans plus tôt, Robert le Roux y menait une existence de reclus, ne sortant que pour chasser ou défier les téméraires pénétrant sur son territoire. Cette terre, il la tenait de son grand-père, féal d'un lointain baron bavarois. Il ne devait rien au seigneur de Signes, rien aux évêques de Marseille, rien aux Baux, rien aux Provençaux. Il était libre et libres étaient les hommes et les femmes nés à l'ombre de sa tour. Les paysans l'adoraient, il les défendait. Dix d'entre eux formaient occasionnellement une compagnie d'archers ; tous, femmes comprises, prenaient les armes quand Paneyrolle était menacé.

– Ils sont braves, dit Robert avec fierté. Il y a quatre ans, nous avons décimé une bande d'écorcheurs venue du Piémont. Ils arrivaient de Mazaugues où ils avaient brûlé trois fermes et massacré des gens. Trente-deux, ils étaient ! On les surprit à la Salomone, près de la source du

Latay. Pas un n'en a réchappé. Je me suis fait le défenseur de la cour d'Amour bien malgré moi !
– Et le seigneur de Signes ? demanda Jean.
– À la guerre, contre les Catalans.
Robert cracha avec mépris avant d'ajouter :
– Si tous sont comme lui, je comprends pourquoi les Barcelonais nous ont battus ! Il prie tant pour son âme qu'il en oublie d'être chevalier et homme.

Élise écoutait sans ennui ces éternelles histoires de batailles, de querelles, et elle souffrait quand Robert parlait des temps heureux, de la jeune fille amoureuse enlevée à ses parents à Toulon, de la jeune fille morte trop tôt d'une congestion. Elle aurait voulu consoler Robert dont on voyait parfois poindre l'immense peine, mais elle éprouvait de la gêne devant Jean. Elle se plaisait dans cette tour percée de petites fenêtres taillées dans la pierre, aux solides planchers jonchés de paille, dans la salle haute où flambaient en permanence deux feux de cheminée et de grosses lampes de bronze. Elle y mettait de l'ordre, des bouquets de thym et de romarin, nettoyant le sol et les murs avec une sorte d'acharnement. On l'apercevait à toute heure de la journée au bord du Latay ; elle en revenait une palanche sur les épaules, toute courbée par le poids de deux seaux d'eau. Robert n'admettait pas qu'elle s'épuisât à ces tâches domestiques ; Jean se taisait. Il comprenait l'obsession d'Élise. Par ces lavages répétés, la petite tentait de nettoyer son propre corps de toutes les saletés accumulées à la Maison Rouge.

Au septième jour, Jean et Robert scellèrent leur amitié par une chevauchée qui les mena au hameau hanté des Croupatières. Plus personne depuis les Romains ne s'aventurait au-delà des ruines. Le chemin se perdait vers Siou-Blanc.

– On ne va pas plus loin ! s'écria Robert.

– Crains-tu les guetteurs de Bertrand ?

– Il n'y a pas de soldats sur le plateau. C'est maudit... Les suicidés viennent y danser les nuits de pleine lune. Je ne voudrais pas rencontrer les sorcières de Signes la Noire.

Jean se mit à rire. Ces sorcières, sa mère menaçait de les appeler quand il était encore un enfant turbulent.

– Ne te moque pas !

– Ce sont des histoires...

– Des histoires ! Mon pauvre Jean. Leur communauté est si puissante et si redoutée qu'aucun évêque ni baron n'ose s'y attaquer. Elles ont leur bourg fortifié près des sources du Gapeau, leurs hommes à tout faire, leurs troupeaux de chèvres et de moutons, leurs moulins, leurs forges et une clientèle qui paie très cher leurs services. Elles se rendent souvent sur ces solitudes pour récolter des plantes.

Robert baissa la voix alors que son regard glissait des rochers de la Paillette aux bois épais de la Guicharde. Il devinait des choses sous le ciel vif et clair d'où tombait un jour blanc de gelée. Pas un souffle n'agitait les cades. Pas un animal ne se manifestait à l'orée des chênaies. Pourtant il y avait foison de loups et de rapaces au sein de cette nature sauvage.

– ... C'est là-bas qu'elles invoquent les forces du mal, près de l'abîme des Morts et du trou du Sarcophage. Elles tirent leurs pouvoirs des avens. On le sait tous, ici. Dieu leur a abandonné cette terre. Je te le dis, Jean, Dieu a la Sainte-Baume et le

Diable règne à Siou-Blanc. Tu devrais t'interroger sur les raisons qui t'ont poussé à revenir ici. C'est à Signes qu'on prend la mesure de son destin. C'est à Signes que t'attend ce chevalier d'Aquitaine.

– Mais je suis chez moi !

– Chez toi, ces quelques manses envahies par les ronces... Viens par là !

Robert dirigea son cheval à travers un dédale de rocailles et de troncs tordus. Soudain, la plaine de Signes apparut en contrebas.

– À la bonne heure ! s'écria Jean en découvrant le village blotti sous sa colline.

L'émotion le gagna. Ses racines étaient là. Ses ancêtres avaient bu l'eau du Figaret, taillé les oliviers, sarclé les champs. Tout ce qu'il avait désiré tournait dans sa tête. Sa ferme, son bétail, son blé, une femme, des enfants, il lui semblait qu'il pouvait tout avoir d'un simple claquement de doigts. Pourtant Robert avait raison. En regardant la grande barre d'Agnis qui dominait Signes, on mesurait la difficulté de s'y établir. Cinq à dix ans seraient nécessaires pour reconquérir et bâtir un petit fief sur ces hauteurs et, à vingt-six ans, Jean se sentait vieux. À quoi bon entreprendre quand l'espérance de vie était de quarante ans.

– Si tu t'en sors, je t'aiderai à remettre à neuf ton héritage, lui dit Robert.

Ces paroles lui firent du bien. Il regarda mieux Agnis. Des fumerolles tachaient les crêtes de la montagne. La vie s'accrochait avec ses charbonniers et ses bergers ; il voulait s'y accrocher aussi, il en fit secrètement le vœu.

– C'est la trêve ! s'exclama Robert... C'est la trêve de Noël, tu vas pouvoir te rendre à la cour d'Amour et demander justice. Regarde, on hisse les trois bannières des Dames.

Robert pointait l'index vers le château de Bertrane. À cette distance, il semblait peint sur une page de la Bible. Posé au ras des tuiles, il était pareil à une nef ancrée dans une anse aux eaux ocre. Ses tours couleur sable étaient légères ; la plus haute portait à présent les symboles de la paix, les trois cygnes. L'un était or sur fond blanc, l'autre blanc sur or, le troisième rouge sur azur. Chaque année, ils flottaient du premier décembre jusqu'à la Saint-Sylvestre. Il était alors interdit de se battre sauf lors des tournois, interdit d'exécuter des sentences, interdit de lever l'impôt ; le pays entrait en sainteté en l'honneur du Sauveur. On voyait les riches donner aux pauvres et les moines quêter pour les lépreux de Beaupré. À l'aube les prieurs de Saint-Jean et de Saint-Pierre parcouraient les rues du village et les collines en criant les paroles d'Isaïe : « Préparez le chemin du Seigneur, aplanissez ses sentiers ! »

– Je m'y rendrai demain, dit Jean.

– Je t'accompagnerai.

Élise avait pleuré. Elle ne croyait pas à la trêve. Elle ne connaissait même pas ce mot. À Marseille, il n'y avait ni trêve ni contrat, ni repentir ni paix. Le port brassait truands et voleurs jusqu'au soir de Noël. Pourquoi en serait-il autrement à Signes ? On allait tuer ses chevaliers.

– Les dames sont des menteuses ! cria-t-elle alors que les deux hommes s'équipaient comme s'ils partaient en croisade.

– Les dames ne mentent jamais ! répliqua

Robert. Tu les connaîtras mieux quand tu vivras parmi elles !

Élise en eut la bouche bée. Elle se tourna vers Jean. Le jeune homme lui souriait tendrement. Ils avaient donc l'intention de l'enfermer dans le château d'Amour ! Sa vue se brouilla ; elle se revit à la Maison Rouge avec d'autres femmes battues et malades. Quand Robert la prit par les mains, elle pensait au suicide.

– Crois-tu que nous allons t'abandonner ? J'en ai longuement discuté avec Jean. Là-haut, tu seras en sécurité, tu seras considérée, tu connaîtras justice et liberté. On respectera ton corps et tes idées, on t'apprendra à écrire et à jouer de la musique. Nous sommes à moins d'une heure de cheval de Signes et tu auras ta propre monture pour me rendre visite. Cette tour est la tienne, la tienne, comprends-tu ?

Élise le contemplait avec stupeur. Elle écoutait son propre cœur ; elle l'écoutait triompher peu à peu de l'incompréhension. Elle se mit à balbutier :

– Mais... Je... Je ne suis rien... Je n'ai pas de nom... Elles ne voudront pas de moi.

– Depuis hier, j'ai une petite cousine du nom d'Élise de Paneyrolle, ma seule parente à qui je lègue mes biens en cas de trépas.

Élise voulut retirer ses mains. Robert se moquait d'elle. Toute sa vie elle avait été trompée, malmenée ; Dieu seul savait ce que ces deux hommes avaient en tête.

– Il dit vrai !

Jean s'approcha d'eux. Elle essaya de deviner ses intentions. Elles n'étaient pas mauvaises. Son bon chevalier avait le regard franc. C'était ainsi qu'il lui était apparu sur le port, ainsi qu'il l'avait défendue contre la Joueuse. Elle s'abandonna.

– Chevaliers nous sommes, dit Robert, et nous te donnons notre parole : nous te protégerons, Élise de Paneyrolle, nous te protégerons des barbares, nous te protégerons du dragon, nous protégerons ton honneur en ce monde. Tu es désormais la jeune dame de la Tour et je porterai tes couleurs lors des tournois de Noël.

Elle ne rêvait pas. Elle avait le visage en feu, les oreilles bourdonnantes. Ses mains tremblaient. Les larmes glissaient au coin de ses lèvres et elle goûtait le sel d'un bonheur absolu. Elle mourait d'envie de se jeter dans les bras de Robert et de rester là à jamais.

– Portez ce que j'ai de plus cher, murmura-t-elle.

Elle défit une chaîne de cuivre de son cou. Trois petites croix de fer y pendaient. C'était tout ce qu'on avait trouvé près d'elle dans les chiffons qui l'emmaillotaient un soir de Pâques. Lorsqu'elle la lui passa autour du cou, Robert sut qu'elle était sa promise.

Quand ils partirent, Élise alla au sommet de la tour. Elle les vit traverser les sillons des champs, le bois du Latay, le pont du Diable puis disparaître au creux d'un ravin. Elle chemina en pensée avec eux tant qu'elle en eut la force. Puis elle perdit confiance. Elle tendit alors la coupe de ses mains vers la Sainte-Baume. Il y avait là-haut sous la couronne froide d'une brume l'esprit de Marie-Madeleine. Elle l'appela. La sainte saurait veiller sur les deux chevaliers.

Tout était calme aux abords de Signes quand Jean et Robert sortirent du ravin de Latay. Des Rigaudelles à Pracabat, la riche plaine avait été retournée par les bêchards, des centaines d'hommes étaient à l'ouvrage. Ils aéraient la terre. Par groupe de quatre, ils poussaient des charretées de pierres qu'ils allaient déverser sur les rives du torrent. Jean oublia la guerre. La lance lui parut soudain lourde au poignet. Il avait voulu trouver la paix à Jérusalem et la paix s'offrait à présent à son regard.

Le cor sonna. Il jeta une longue note lugubre. Au donjon des Dames, la sentinelle venait de les repérer. L'appel glissa sur la plaine, soulevant les têtes des sillons tandis que des profondeurs des maisons surgissaient femmes et enfants.

— On ne risque rien, c'est la trêve.

Robert se rassurait avec le mot trêve. Il l'avait prononcé une bonne vingtaine de fois depuis leur première chevauchée. Il perdait de sa valeur au fur et à mesure que les heures s'écoulaient. Jean s'en inquiéta et demanda :

— Comment sais-tu qu'elle est respectée ?

— La rompre constituerait un crime ; les Dames l'ont établie et de mémoire d'homme, jamais chevalier ne s'est opposé à la volonté de Bertrane de Signes.

— Dis-moi, depuis combien de temps n'es-tu pas venu au village ?

— Mais c'est la première fois que je m'y rends ! Il y a huit ans j'ai tué un neveu de Bertrand en combat singulier sur le pont du Diable. Depuis, je ne suis pas en odeur de sainteté ; on dit même que je sers les sorcières de Signes la Noire.

Jean fut parcouru d'un picotement. Le mot

trêve... banni. Le poids de la lance se révéla rassurant. Il le fut d'autant plus que les paysans accouraient.

Les deux chevaliers pénétrèrent dans la rue de Marseille. Leur passage souleva un murmure de passion. Le terrible chevalier de Paneyrolle fut immédiatement reconnu ; il y avait ceux qui l'avaient vu de loin sur son pont maudit ; ceux qui se gavaient de peur en écoutant les témoins aux veillées. Sur son destrier moreau, son habit de mailles couvert par un camail noir, le visage dissimulé sous le heaume, il les pétrifiait un à un.

Un enfant se mit à pleurer en voyant la gueule de loup peinte sur son bouclier. Des femmes se signèrent, d'autres poussaient leurs amies enceintes à l'intérieur des bâtisses.

– *Aquel home es tout mal-an*[1], il porte le mauvais œil !

– *Es un dana !*[2] Nous allons être frappés par la foudre !

Une rumeur de malédiction et de mort s'enfla. Les voix se brisaient sur les façades ; un écho naissait et se multipliait. Les Signois s'enhardissaient peu à peu. Ils lancèrent des jurons pour allumer l'incendie. Puis quelqu'un cria : « Le chevalier d'Agnis est avec le démon ! »

Le brouhaha se prolongea quelques instants et s'acheva dans un sanglot. C'était bien la Croix surgissant d'un bouquet de flammes qu'ils semblaient découvrir sur l'écu du compagnon de Paneyrolle.

On entendit sonner les sabots des deux mon-

---

1. Cet homme est tout malheur.
2. C'est un damné !

tures. Hercule reniflait ; ses oreilles pivotaient ; cent choses lui apparurent, des choses que son maître ne percevait pas. Les humains étaient partagés entre tendresse et révolte ; il y avait ceux qui serraient les poings sur leurs outils, ceux qui avaient un désir fou de le mettre en garde contre le chevalier d'Aquitaine, ceux qui, effrayés, pensaient qu'il revenait de l'Enfer parmi les vivants.

Un moine de Montrieux fendit la foule et se campa face aux chevaliers. Son regard brûlait d'une passion mystique. En découvrant ce faciès ascétique de prédicateur, Jean sut immédiatement que les ennuis commençaient. Le moine leva les bras et prit le village à témoin :

— Signois, prenez garde au Malin ! Il est embusqué partout.

— Place, moine ! ordonna Robert.

Les villageois reculèrent. Pas le monial. Il y avait toujours la même fouée au fond de ses pupilles.

— Voyez bonnes gens comme il vous guette à travers les fentes de son casque ! Qui nous dit qu'il y a des visages d'hommes derrière ces masques de fer ? Le Malin est parmi nous ! Toutes ses ruses sont tendues, toutes ses perfidies préparées ! Je vous le dis, mes amis, si vous laissez ces deux-là monter à la cour d'Amour, de grands malheurs s'abattront sur vous.

Exalté par son discours, le moine commit la faute de saisir brusquement Hercule par la bride. Le geste était hardi ; le cheval entraîné à se battre le mordit cruellement au bras.

— Démon ! Démon ! hurla le moine en bondissant en arrière.

— Passons ! jeta Jean.

239

– Prenons la traverse, dit Robert.

Il y avait un passage entre les maisons. Un raidillon menait directement au château des Dames. Mais là encore les masures qui le flanquaient avaient déversé leurs habitants. On craignait les chevaux. La masse se sépara en deux vagues. Derrière les chevaliers, le moine au bras saignant appela à la vengeance.

– Sacrilège ! Sacrilège ! Maudits ! À moi les Signois !

Il se baissa, ramassa une pierre et montra l'exemple en la lançant sur Robert. Le projectile manqua sa cible, mais fit son effet. Un grand tumulte monta en ébranlant les rues et le flot s'élança à la poursuite des chevaliers. Coutelas, fourches, marteaux s'élevèrent au-dessus des têtes. Les enfants cherchaient des pierres, les femmes poussaient des hurlements.

– Place ! Place ! criaient Jean et Robert.

Ils ne voulaient pas se servir de leurs armes. Ils laissaient faire les destriers. Les bêtes bousculaient les téméraires ; elles forçaient sur leurs jarrets, grimpant de plus en plus vite.

Au bout du raidillon se dressait une muraille fortifiée. Les Dames se tenaient à son sommet. Elles regardaient, ébahies et inquiètes, les deux chevaliers et la meute des villageois. À leur côté, les vieux archers tendaient leurs arcs. Stéphanie avait ressorti l'épée dès les premières clameurs, elle en avait donné une à Bertrane, mais la jeune femme se sentait incapable d'en user.

– Le chevalier au loup ! cria un garde.

L'égarement passa dans tous les regards. Les dames contemplèrent le chevalier noir. Il jaillissait d'ailleurs ; il venait ravir leurs âmes ; il fouettait son formidable destrier avec la hampe de la lance. Le soleil n'avait pas de prise sur cette sombre apparition. Tous les archers ajustèrent la pointe de leurs dards sur les parties découvertes de son corps. Ils s'apprêtaient à tirer quand Alalète d'Ongle s'exclama : « Le chevalier d'Agnis est avec lui. » C'était vrai. Sire Jean, dont elles connaissaient toutes le blason tant décrit par Casteljaloux, galopait avec l'envoyé du Diable.

Jean d'Agnis ! Le cœur de Bertrane s'arrêta de battre. Elle vit soudain les bras tendus des archers, les flèches menaçantes. Elle cria :

– C'est la trêve ! Baissez vos armes !

– Tu es devenue folle ? lança Delphine.

La vieille comtesse de Dye enrageait. Depuis des semaines, elle faisait tout pour se rendre agréable auprès de Casteljaloux ; elle espérait la reconnaissance de la reine Éléonore. Elle avait même pris l'initiative d'offrir une prime supplémentaire pour tout renseignement concernant le chevalier félon d'Agnis. A présent on tenait ce chien, il fallait le larder de traits. Comme Bretrane ne répondait pas, elle ordonna : « Tuez-les ! »

Les archers hésitaient. Ils baissèrent leurs arcs quand ils virent le regard impérieux de leur Dame. Bertrane n'admettait pas qu'on discute ses ordres, elle le fit sentir à Delphine qui se retira avant d'en appeler au calme.

– Mes amies, nous n'avons aucune raison d'user de la force en cette période de Noël. La trêve est sacrée. Je vais m'adresser à ces chevaliers et aux Signois.

Sur ces mots, elle laissa tomber l'épée et descendit dignement à la rencontre de la tempête.

Quand Stéphanie la rejoignit, elle refusa la présence de la guerrière.

– Laisse-moi seule. C'est de paix et d'amour qu'il s'agit. Apaiser les cœurs et les esprits est ce que je sais faire de mieux.

CHAPITRE XVI

Bertrane parut au pied de la muraille. Derrière les chevaliers en bout de course, la foule se massa, se pressa et se figea. Les grognements et les cris saccadés cessèrent.

– La Dame ! La Dame ! La Dame.

Le titre roulait de bouche en bouche. L'apparition de la Vierge aurait eu le même effet. Ils la respectaient tant qu'ils eurent honte quand elle lança :

– La trêve ne peut être rompue quand l'étoile sainte est en route pour Bethléem. Et je vois là des êtres pleins de haine ! Et j'entends battre les mauvais cœurs ! Lequel d'entre vous veut faire de la peine à Jésus ?... Qu'il s'avance !

On essayait de cacher les armes de fortune ; on lâchait les pierres ; on regardait son voisin ; on se mit à chercher le coupable. Il y eut un murmure et on se sépara en une double haie pour mieux le désigner : le moine.

Lui n'avait pas lâché sa pierre. Il la serrait dans son poing. Elle était coupante et dure, pareille à son visage hargneux. Il essaya de lutter avec l'esprit de Bertrane, mais ce fut en vain. La Dame le contemplait sans indulgence. Il sentait la force qui se dégageait de ce regard noir et pur ; elle le contraignit à abandonner. Il poussa un cri de rage et jeta sa pierre contre le mur du château avant de s'enfuir.

Pendant tout ce temps, Jean était demeuré inquiet pour cette frêle jeune femme. Il connaissait les foules, les armes, les peuples ; il les savait versatiles. Elle s'exposait dangereusement et il louait le courage dont elle faisait preuve. La tension retomba. Bertrane adressa un sourire aux chevaliers.

– Pardonnez-les, messires ; ils se sont laissé emporter, mais cela ne se reproduira plus : vous êtes sous ma protection.

C'était bien la première fois qu'une femme leur garantissait la vie. Et quelle femme ! Robert la croyait descendue du Ciel ; il y avait sûrement une cohorte d'anges cachée quelque part prête à fondre sur Signes. Elle était bien plus belle que ce qu'en disaient les paysans. Jean partageait cet avis en silence. En la contemplant, sa poitrine se soulevait plus vite. Elle le captivait. Elle portait un cercle d'or sur la tête. C'était son seul bijou. Cet or et sa double robe de laine blanche s'accordait avec sa beauté éclatante. Dieu l'avait voulu ainsi, la nature l'avait dotée d'une grâce incomparable. Le heaume permettait toutes les indiscrétions. Par les chantepleures étroites que l'outil d'un armurier avait ouvertes au niveau de ses yeux, Jean laissait couler son regard sur Bertrane, l'enveloppant d'une caresse. Elle vint vers lui, flatta Hercule de la main. Le cheval ne broncha pas, mais Jean sentit le frémissement des muscles. La bête éprouvait du plaisir ; la peau de

l'humaine avait une odeur rassurante de plantes.
La nuit, ses vêtements reposaient sur des bouquets de lavande.

– Est-ce que nos célèbres visiteurs ont un
visage ? s'enquit-elle en regardant intensément
Jean.

Penchées au-dessus des créneaux, les femmes
de la Cour retenaient leur souffle. L'instant était
crucial. Elles craignaient pour Bertrane. La réputation du chevalier noir n'était plus à faire ; celle
de Jean d'Agnis était incertaine : pouvait-on faire
confiance à un homme qui avait enlevé la reine
de France ? Elles échangèrent quelques petits
signes d'inquiétude. Elles ne savaient pas à qui
se vouer. Jausserande n'était pas là pour les
dérider ; Delphine avait disparu ; Stéphanie respectait la parole de son amie et restait neutre.
Elles virent les chevaliers descendre des montures, poser lances et écus et porter les mains à
leur heaume.

Le métal était froid sous ses doigts ; Jean retira
lentement le casque qui le séparait de la réalité.
Quand le visage fut à nu, Bertrane ne put empêcher sa poitrine de se gonfler brusquement. Le
chevalier ressemblait aux preux des poèmes. Son
front était haut, ses cheveux légèrement bouclés
encadraient un visage fin et volontaire, le regard
brun pétillait d'intelligence et de quelque chose
d'autre qu'elle n'arrivait pas à définir. Elle eut
une sensation nouvelle. Une vague la roula dans
un délice bien charnel.

– Je viens demander justice pour mon ami, dit
Robert.

L'intervention du chevalier de Paneyrolle la tira
d'embarras. Elle fit face à ce dernier qui était

aussi roux que Jausserande. Elle s'attendait à voir un monstre. Elle demeura surprise. L'homme était viril, grave, tourmenté, mais pas laid du tout. Son regard pâle exprimait une grande tristesse.

– Il ne m'appartient pas de défendre les intérêts du chevalier d'Agnis, répondit-elle, cependant j'ai le pouvoir de le protéger tant qu'il demeurera près de moi et que durera la trêve.

– Mais que me reproche-t-on ? demanda Jean.

– D'avoir enlevé la reine de France à Antioche ! Suivez-moi.

Delphine exultait. Malgré son grand âge, elle montait bien. Son cheval avala au galop la demi-lieue qui la séparait de son but. La joie la rendait héroïque. Un fossé entravait sa course ? un tronc barrait sa trajectoire ? elle les sautait. Car elle allait au plus vite, ayant choisi la ligne droite. Un vieux moulin fortifié enjambait le Gapeau non loin de la léproserie. Il lui apparut soudain alors qu'elle passait en force à travers un bosquet de genêts.

Un jeune homme était accroupi sur le bord de la rivière. Il se releva brusquement quand il la vit arriver. Delphine méprisait ce gringalet qu'on appelait Ancelin. Elle pensait que le sire de Casteljaloux était bien mal secondé.

– Que venez-vous chercher ? cria l'écuyer.

– Ton maître !

Elle fit cabrer son cheval et sauta à terre. Elle se sentait des jambes de vingt ans.

– Il est très occupé...

– Cela ne peut attendre ! répliqua-t-elle en dépassant le jeune importun.

Elle marcha vers le moulin où le chevalier d'Aquitaine avait élu domicile. Casteljaloux ne supportait plus la vie à Château-Vieux et toutes les dames le comprenaient. Les messes à répétition, les contritions de Bertrand, les pénitences obligatoires... on finissait par fuir l'ombre portée de la croix du donjon.

L'habitation appartenait à un négociant de chaux résidant à Marseille. Réquisitionnée au nom de la reine Éléonore, elle était désormais la tanière de Casteljaloux.

– Je vous dis que c'est impossible !

Importun et impudent. Impudent et grossier. Delphine devint cramoisie. Ancelin s'interposait à nouveau, écartant les bras pour lui barrer le passage. Elle riposta. D'une gifle, avec sa main sèche et baguée. Puis elle écarta d'un coup d'épaule l'écuyer vexé et déconfit.

– Je ne veux plus te voir, lui dit-elle en soulevant le loquet de la porte.

« Tu es trop avide, ma fille, calme-toi », se dit-elle en pénétrant dans la bâtisse où s'allongeaient de grosses poutres soutenant le plancher supérieur. L'œil de la comtesse alla de l'antique trapetum aux meules encrassées au feu de bois. Il y avait longtemps que la machine ne servait plus à broyer les olives ; quant à la cheminée bâtie comme une borie archaïque, on avait oublié d'agrandir le trou au-dessus de l'âtre. Elle crachait une fumée épaisse dans la vaste salle spartiate où les deux hommes avaient déposé leur fourbi. La fumée trouvait malgré tout son chemin. Elle suivait un courant d'air et grimpait à l'étage par une trappe ouverte.

Le chevalier d'Aquitaine était sûrement là-haut. Delphine se dirigea vers l'escalier de bois qui menait à la trappe et monta. Elle n'entendait rien si ce n'est le feu craquer derrière elle. Peut-être le sire dormait-il ? Elle passa la tête au-dessus de l'ouverture. La pièce baignait dans un brouillard âcre. Un autre feu vomissait sa fumée. Tout d'abord, elle ne vit rien ; les yeux lui piquaient. Puis elle remarqua la forme bizarre dans un coin. La chose bougeait un peu. Delphine émergea complètement et s'avança. Au fur et à mesure qu'elle fendait l'opacité, ses yeux s'agrandissaient et s'asséchaient. Ce qu'elle découvrit la figea sur place.

Le sire était à demi allongé sur une femme dont elle ne voyait pas le visage. Il allait et venait lentement entre les cuisses largement ouvertes. Des mains délicates faisaient pression sur ses épaules puissantes. Delphine était fascinée. À chaque enfoncement, les omoplates saillaient, les muscles plissaient la peau, la sueur perlait le long de la colonne vertébrale, le cul se durcissait et Edmond poussait un léger gémissement.

Une bouffée de chaleur s'engouffra en elle. Delphine n'avait pas oublié le temps béni de l'amour. Elle avait encore la possibilité de quitter l'endroit. Elle resta. Non par respect ou par plaisir. Mais poussée par l'impérieuse nécessité de sa mission. Ces deux-là allaient en finir. Dans ses souvenirs, l'acte ne durait jamais bien longtemps. Elle crut le moment arrivé : les jambes blanches se nouèrent autour des reins de Casteljaloux, la femme poussa de petits cris. Elle sentit elle-même l'envie dans sa gorge. Son pouls s'accélérait. Elle s'imaginait à la place de l'inconnue.

– Plus fort ! plus vite ! haleta la femme en griffant le dos d'Edmond.

En reconnaissant cette voix, Delphine crut qu'elle allait défaillir.

– Jausserande ! s'écria-t-elle.

Le couple se figea. Casteljaloux vit l'ombre de la comtesse de Dye sur le côté. Dans un bruit d'étoffes et de lourdes chaussures, Delphine, haletante, s'avança vers eux, foudroyant du regard la jeune Claustral qui ne cachait pas sa fureur.

– Que faites-vous ici ? aboya Jausserande en repoussant Edmond.

Elle était déjà sur ses pieds quand Delphine la gifla.

– Du respect, ma fille !

Elle y avait mis de la force. La jeune fille chancela et recula. La question Claustral réglée, la vieille comtesse marcha sur le chevalier qui se relevait à peine.

– C'est ainsi que vous passez votre temps ? demanda-t-elle en le toisant de haut en bas.

Elle appuya son regard sur le long sexe qui ne se décidait pas à mollir. Cette insistance ne gênait pas Edmond : il avait été élevé par un père paillard et une mère lubrique qui avaient vanté sa virilité dès l'âge de treize ans. L'irruption de cette grande femme sèche l'indisposait autrement plus. Elle semblait occuper plus de place qu'une paire de chevaux. Elle mangeait son espace vital. Elle se tenait face à lui avec sa longue robe brune, son manteau à poils fauves, ses énormes tresses baguées de bronze, l'odeur presque écœurante de l'ail qu'elle mangeait le matin et celle d'une essence de jasmin répandue sur sa peau.

– Vous m'espionnez ! lui demanda-t-il.

Si elle n'avait pas été la puissante Dame de Dye, cousine du baron de Dignes Pierre Ismidon et marraine de l'évêque de Vaison Bérenger de Mornas, il l'aurait étranglée et jetée dans le Gapeau.

– Vous espionner ! Moi ? Je n'ai que faire de vos escapades avec cette putain !

– Mesurez vos paroles !

– Je suis venue en amie. Un événement considérable vient de se produire, un événement qui vous concerne.

– Parlez !

– Le chevalier d'Agnis est à la cour d'Amour.

Le sang monta à son front. Edmond se mit à hurler :

– Ancelin ! Ancelin ! Ancelin !

Il se précipita à la fenêtre dont il repoussa le gros volet d'un coup de pied. Ancelin accourait déjà.

– Nom de Dieu ! Foutre de Dieu !

Edmond ne voyait plus les deux femmes. Il empoigna ses vêtements, l'épée et un poignard. La nouvelle avait frappé Jausserande de stupeur ; elle ne parvenait pas à réagir. Ce fut la jubilation mal contenue de Delphine qui la poussa à intervenir :

– C'est la trêve de Noël ! Vous ne pouvez pas vous battre contre quelqu'un sur le territoire de Signes, sauf en champ clos ! Renoncez !

– C'est son devoir et son honneur ! répondit Delphine à la place du chevalier d'Aquitaine.

« Tuez ce chien, mon brave, et je préparerai moi-même les huiles pour conserver sa tête ! »

Jausserande regarda la comtesse avec horreur. La Dame de Dye était abîme et ténèbres, irradiant les forces mauvaises tout autour d'elle. Edmond semblait subir cette présence. Il n'eut pas un seul coup d'œil pour sa jeune maîtresse. Il sortit du moulin avec un creux à l'estomac. Il éprouvait une sorte de vertige, comme s'il n'avait pas mangé depuis la veille. Il avait faim de combat, soif de sang. Jean d'Agnis n'était plus un fantôme obsédant ; il allait venger la reine.

– Notre homme est de retour ! dit-il simplement à Ancelin qui préparait les chevaux.

L'écuyer pensa alors à la trêve, mais n'essaya pas de raisonner ce maître qui ne connaissait que ses propres lois. Il songea avec tristesse à demoiselle Alix. Il ne s'était pas déclaré. Tout était perdu. Et l'amour. Et l'honneur. Edmond l'entraînait vers un noir destin.

Jean et Robert n'étaient plus sur terre. On leur avait ouvert une porte de l'Éden. Par la volonté des dizaines de fées qui peuplaient ce délicat château, les couloirs, les salles flambaient aux rayons de mille cierges et mille lampes. Frôlé par les robes, entouré de parfums, Jean se laissa conduire jusqu'à la vaste pièce ronde d'un donjon percé d'archères couvertes de pâte de verre. Il allait d'étonnement en étonnement. Les murs parlaient d'amour. Ici des lettres d'or se détachaient une à une : « *N'a pas de saveur ce que l'amant prend de force à l'autre amant.* » Là elles s'enfonçaient dans une niche où avaient été déposés un rameau d'olivier et des tiges de bruyère : « *Il ne convient pas d'aimer celle qu'on aurait honte de désirer en mariage.* » La bruyère exaltait les sentiments d'amour, mais Jean ignorait tout des symboles chers aux femmes de Provence.

Robert clignait des yeux. Tout était trop beau. Il n'avait pas l'expérience orientale de Jean. Sa tour lui parut un taudis. L'hiver, l'humidité suintait à travers les pierres disjointes, les rats trottaient sur les planchers, le feu ravivait des vieilles odeurs d'urine. La tour des Dames semblait fraîchement bâtie. Une épaisse couche de chaux la purifiait des caves aux combles. Des bannières déployaient les armes de Stéphanie, d'Adalarie, d'Alalète, d'Hermissende, de Bertrande, de Mabille, de Delphine, de Rostangue et de Jausserande, mais c'était le cygne d'or sur fond blanc de Bertrane de Signes qui l'emportait sur les cœurs, les roses et les licornes. La lueur des flammes animait l'œil de l'oiseau où des doigts habiles avaient cousu des éclats de diamants et de saphirs.

– Vous êtes chez vous, dit Bertrane.

Et elle prit la main de Jean pour le guider vers un fauteuil tandis que Stéphanie s'emparait de celle de Robert. Aussitôt des jeunes filles retirèrent les chausses des chevaliers.

Jean n'avait jamais été aussi choyé. Les deux demoiselles accroupies déposèrent ses pieds dans des lainages parfumés. Cependant il n'appréciait pas ces délicatesses ; il ne le pouvait pas. Bertrane tenait toujours sa main. Cet attouchement le brûlait. Il n'osait regarder la Dame de Signes. Bertrane prolongeait le contact. Elle savait que c'était un moment d'impardonnable faiblesse. Déjà, Mabille d'Yères s'était aperçue de la chose. Elle observait d'un air hébété ces doigts qui ne se déliaient pas. Quand elle se pencha pour signaler l'incroyable fait à Adalarie, Bertrane rompit le charme en ramenant sa main contre sa poitrine.

« Je ne peux l'aimer, se dit-elle, c'est impossible... Je ne le connais pas... Je suis folle, folle... Et Mabille qui a tout vu... Seigneur, que va-t-on penser de moi ? »

Jean eut la force de sourire à Alix qui lui apportait une coupe de vin chaud. Il était partagé entre la fièvre d'un désir nouveau et l'angoisse de se déshonorer.

– Je bois au retour de Jean d'Agnis ! dit Robert en levant sa propre coupe.

Les dames se joignirent à l'hommage. Elles ne craignaient plus le chevalier noir ; elles avaient de la sympathie pour Jean d'Agnis. Elles trépignaient d'impatience. Ce bel homme avait enlevé la reine Éléonore ; il leur tardait d'en connaître les détails.

Jean quitta son siège et s'avança au milieu de ce peuple de femmes rassemblées sous les bannières. Les unes s'étaient allongées sur les peaux de bêtes, les autres se serraient sur des bancs. Chaque dame était entourée d'une dizaine de jeunes filles dont les yeux s'allumaient de passion en le dévisageant. Elles buvaient du vin miellé dans de délicats gobelets d'argent et leurs bracelets cliquetaient lorsqu'elles trinquaient en riant.

Jean se sentait mis à l'épreuve. Pourtant l'instant était délicieux ; il avait oublié les fantômes de la guerre. Peu à peu le silence se fit et il parla.

253

– Nobles dames, femmes de Signes, filles de Provence, je ne sais comment vous remercier de l'accueil que vous me faites. S'il est vrai que j'appartiens à une vieille famille de la Sainte-Baume, je ne suis cependant pas l'égal de Bertrand votre seigneur, ni même de Robert de Paneyrolle dont les riches terres s'étendent du pont du Diable à Riboux. J'arrive à vous avec mes peines et le fardeau d'une mauvaise renommée. J'espère que vous me pardonnerez pour ce qui reste en moi du soldat, mais d'où je viens *Eme soun dail cruel la mouer pooupo persouno, sego leis reis tout coumo leis sujhet*[1]. Je l'ai vue, j'ai senti son souffle sur ma bouche et je ne voulais pas qu'elle me prenne loin de chez moi. Lorsque je me suis croisé, lorsque j'ai chevauché dans la grande armée du roi de France à travers le pays de Christ, j'ai cru que le temps était venu de me livrer au courant tumultueux, à un vent puissant qui m'entraînerait vers un monde meilleur... La foi, nobles dames, ne vous pose pas de questions et ne vous demande pas votre acquiescement, on la suit. Mais les hommes se chargent de vous la faire perdre. Cette croisade n'a été que trahison, prévarication, malversation, péculat. Nous avons pactisé avec les ennemis de Dieu, nous nous sommes laissé berner par les marchands lombards et génois, faisant passer les intérêts commerciaux avant ceux de l'Église, et j'ai été pris au jeu des intrigues en croyant sauver l'honneur de la reine Éléonore. La leçon que je tire de cette lutte tragique est une leçon d'unité. Nous

---

1. La mort avec sa faux ne fait grâce à personne, ainsi que les sujets, les rois elle moissonne.

devons nous unir si nous ne voulons pas être vaincus par les forces du mal. Je cherchais la paix par le fer au royaume de Dieu et je réalise à présent que vous êtes cette paix. Ici tout est paix et amour. Et c'est dans cet esprit que j'accepte votre hospitalité, dame Bertrane. J'ai tout à apprendre de votre Cour et si vous le voulez je servirai votre cause sous la bannière du cygne.

Bertrane en fut toute remuée. Ce n'était pas simplement une voix, mais un miracle. Jean prononçait des mots en provençal, mais la sonorité pure de chaque syllabe en faisait comme une langue nouvelle qu'elle entendait pour la première fois. C'était la voix d'un paladin. La franchise sortait de cette bouche et on percevait le mystère d'une force ancienne. Il était de la famille d'Agnis et quoi qu'il en dît, son nom remontait au temps où les hommes adoraient le feu et le bélier sur la montagne qui dominait Signes.

Et il semblait devant le feu de l'âtre où il se tenait, surgi d'un songe antique, si conforme à l'image entretenue au long des siècles par les conteurs que sa présence les envoûtait. Toutes auraient voulu nouer leur ruban à sa lance, mais toutes voyaient à présent qu'il avait fait son choix. Il contemplait Bertrane. Quand il alla mettre un genou en terre pour servir la Dame au Cygne, il perdit sa magie, mais le corps et le visage dévoilèrent alors une grâce aurée d'un prestige et d'autres pouvoirs que ceux de l'esprit.

– Vous serez mon chevalier, dit Bertrane si faiblement qu'on eut du mal à l'entendre.

L'émotion l'étreignait. Elle faillit perdre conscience lorsque la porte s'ouvrit brutalement.

– Jean d'Agnis !

Casteljaloux hurla une deuxième fois le nom du Signois. Il brandissait l'épée. Derrière lui, Delphine lançait un regard de flamme sur la touchante réunion de la pairie.

– Finissez ! ordonna-t-elle au chevalier d'Aquitaine.

Edmond n'avait nul besoin d'être encouragé. Il haïssait l'homme qui avait insulté sa reine. Il courut vers Jean au milieu des cris d'effroi. Jamais arme n'avait répandu le sang dans le sanctuaire des Dames. Bertrane était paralysée par l'horreur. Le vengeur bouscula Stéphanie qui n'avait plus son épée mais cherchait à s'interposer.

– *Morgué !*[1] jura-t-il. Laissez-moi passer !

Il leva son épée et rencontra le fer de Robert. La lame du chevalier noir était plus longue que la sienne, plus lourde de trois livres. Revenu de sa surprise, Jean dégaina sa propre arme. Ancelin vint soutenir son maître. Il allait y avoir mort d'homme. Ce fut au moment où ils allaient engager le combat que Bertrane intervint. Elle s'interposa. Les épées se dressaient au-dessus d'elle mais elle n'avait plus peur. Ce sacrilège l'avait exaspérée. Elle voyait l'anéantissement de tous les efforts de paix et d'amour prônés par la Cour depuis des années. Malgré des années passées à bannir la violence, elle la retrouvait continuellement sur son chemin. Jusqu'ici, dans son propre château qu'aucune flèche n'avait jamais touché.

---

1. Mordieu !

– Qu'attendez-vous ! Que mon sang soit le premier versé ! Est-ce ainsi que vous me respectez, Casteljaloux ? Depuis Charlemagne, les Signois réfrènent leurs passions lors de la trêve de Noël. Si vous voulez vous battre, faites-le les jours de sainte Lucie et de sainte Odile, quand les trompettes des tournois appelleront les chevaliers à se mesurer dans l'honneur.

Casteljaloux se regimba :

– J'agis au nom de la reine !

– Ici la reine c'est moi !

Edmond en fut interloqué. Sa colère tomba. À bien considérer la situation, elle était bien la souveraine incontestée de cette région. La Provence était indépendante et la question de la succession entre la maison de Barcelone et celle des Baux n'était pas réglée définitivement. Même Stéphanie, la plus élevée en rang, était inféodée à la Dame de Signes. Ces femmes avaient leurs lois, leurs codes, il devait se soumettre. Il laissa retomber son épée.

– Nous nous reverrons à la Sainte-Lucie ! dit-il à Jean.

– Dieu choisira, répondit le chevalier d'Agnis.

Bertrane ne se faisait aucune illusion ; ces deux-là allaient s'affronter jusqu'à la mort. Elle se donnait les quelques jours qui la séparaient du tournoi pour trouver un compromis.

– Étant donné les circonstances exceptionnelles, le chevalier Jean d'Agnis restera à la cour d'Amour jusqu'à la fin des festivités de Noël. Nous le logerons dans la tour du Dragon.

Elles s'y attendaient. Pourtant elles en eurent le souffle coupé. Pas même les troubadours Jaufré Rudel et Marcabrun n'avaient eu cet honneur. Mabille en était à présent convaincue : Bertrane venait de succomber. L'aspect sentimental de la situation échappait totalement à Delphine. Le fiel qui l'envahissait l'empêchait même de parler et on s'étonna qu'elle n'intervînt pas contre la décision de la Dame de Signes. La comtesse jura tout bas qu'après les festivités et au cas où ce chevalier s'en sortirait vivant, elle ferait appel aux services des sorcières.

Chapitre XVII

Les huit chevaliers français se méfiaient d'Hugon des Baux. Depuis leur dernière rencontre, ils l'avaient suivi de loin, évitant d'être au contact des bandes armées qui lui obéissaient. Liénard d'Ouches avait tenu à garder un œil sur le seigneur des Baux. « C'est un tordu, disait-il d'Hugon. Un fils qui veut la mort de sa mère est un scélérat... Ouais, il a parfois les yeux ponceau du Diable, et j'ai pas envie de griller avec lui. »

Ses compagnons acquiesçaient. Chaque jour les confortait dans cette idée. Hugon n'était pas humain. En ce moment même, des cohortes dépenaillées portant l'étoile des Baux allaient et venaient d'un bout à l'autre des coteaux bordant la Durance, et se mêlaient pour une rapide communion sauvage autour de leur maître. Au loin, Lourmarin et Cadenet brûlaient. La forêt brûlait. Le pont de Pertuis brûlait.

Il y eut un cri gigantesque quand les soudards brandirent les torches en l'honneur d'Hugon. La bataille était terminée. Si on pouvait appeler cela bataille. Hugon fit avancer Degai. Le cheval piétina les cadavres et le cavalier estima qu'ils étaient une soixantaine horriblement poisseux et mutilés.

– Qu'on les enterre ! hurla-t-il soudain aux hommes qui s'acharnaient encore sur les blessés avec des tranchelards.

Les soldats s'étonnèrent. Leur seigneur ne voulait plus se venger ? Il y avait encore quelques Catalans à étriper. Cependant ils obéirent. Hugon avait l'âme lourde. Lourde de dégoût. Lourde d'inutiles tueries. Une vague d'incommensurable détresse balaya le chaos de ses pensées quand il vit l'étoile des Baux pleine du sang des victimes. La bannière qui avait fait la gloire de ses ancêtres flottait au milieu des groupes de braillards. Il n'y avait pas même un chevalier parmi ses troupes. La noblesse ne le suivait plus ; il était servi par la racaille de Montpellier, d'Avignon, de Marseille et par des mercenaires venus des quatre coins de France. Il avait devant lui des charognards qui rêvaient de pillage et de bordel. Où qu'il portât son regard, il rencontrait les mêmes trognes sales. Cette fange, il la devait à sa mère, à Bertrane...

– Chiennes ! cria-t-il en griffant son cheval.

Degai partit d'un trait, arrachant des armes et des casques aux corps étendus entre les vignes. Son maître ne le guidait pas, mais il savait où aller.

– Sainte Marie ! s'exclama Liénard d'Ouches en le voyant venir droit vers la haie derrière laquelle il se tenait avec les sept autres chevaliers.

Ce juron ne lui seyait guère. Il tourna sa vilaine figure maigre en direction de Conan de Montfort.

Le chevalier au sanglier semblait fasciné par le galop d'Hugon.

– Partons ! ordonna Liénard en frappant l'écu de Conan avec sa lance.

Au moment où ils tournèrent bride, la voix d'Hugon les rattrapa.

– Inutile de fuir !

Les huit se figèrent. Ils eurent l'impression que les sabots de Degai martelaient le sol avec un bruit de rocs roulés sur du métal. La haie se fendit en deux et le comte des Baux leur apparut pareil à un cavalier de l'Apocalypse. Il portait les marques du combat. Sa joue avait été entaillée, son bouclier troué, sa cotte démaillée.

– Vous me croyez dupe ? lança-t-il.

Liénard voulut se justifier, il n'en eut pas le temps.

– Vous avez suivi ma trace ! Vous m'espionnez ! On avait convenu de se retrouver à Signes ! Je lis la trahison dans vos regards !

– Dieu nous garde ! s'écria Bonneval du Pont.

– Dieu ! Ha ! Ha ! Comme il sonne bien dans ta bouche ce Dieu-là, Bonneval. Tu crois pouvoir te réclamer de lui ? Et vous aussi je suppose ? Vous vous croyez parvenus au-delà des plus dures souffrances de la vie pour l'invoquer. Tous les Évangiles que vous avez gobés, toutes les prières que vous avez dites suffiront à peine à entretenir l'espoir de ne pas trembler quand la mort viendra. Les vers dévorent les saints et les assassins, telle est la vérité. Alors inutile de flatter les anges et d'invoquer les saints, le même torrent furieux nous emporte.

Ils l'écoutaient et ils se sentaient en état de

péché mortel. Ils l'écoutaient et ils le suivirent quand il ordonna : « À Signes. »

À Signes, les jours s'écoulaient. On se préparait à la fête. Sur le plan où pâturaient les moutons, les fèvres installaient les barrières, dressaient les podiums, plantaient les tentes colorées. Les Signois rafraîchissaient les crépis écaillés des murs, suspendaient des rubans et des oriflammes au-dessus des rues, cousaient à la hâte les robes et les bliauts du dimanche. Bertrand était le grand ordonnateur de tous ces travaux. Dans sa fièvre d'embellir le fief, il ne se préoccupait pas du cas Jean d'Agnis. Il ne voulait pas intervenir dans une affaire concernant les dames. Ce chevalier ne lui devait pas allégeance, de plus il était l'invité de Bertrane ; cela suffisait à sa bonne conscience. Priorité au tournoi. Acheter des coussins moelleux pour les évêques de Marseille et de Toulon, blanchir les draps du château, engraisser les oies et les poulardes, préparer les pâtés et les jambons, renouveler tous les cierges des chapelles et de l'église et prier cinq heures par jour l'empêchaient de recevoir Delphine de Dye et d'écouter son confesseur. Le chapelain Guillaume avait des craintes : un homme habitait le château de la cour d'Amour. Les dames ne respectaient plus leur règle. Elles défendaient même le chevalier du pont du Diable, c'était assez pour y voir l'œuvre du Malin. Aussi avait-il écrit au marquis de Malemort, baron d'Aubagne et de Signes, évêque de Marseille, le tout-puissant Pierre II de sermonner les dames lors de sa venue.

Il aurait fallu plus d'un long sermon à Bertrane pour baiser l'anneau de l'évêque et chasser son désir. La nuit, elle passait des heures à lutter contre la tentation de se rendre dans la tour du Dragon. Son amour paraissait essentiel, absolument nécessaire. Alix s'en était aperçue. La demoiselle veillait sur la couche de sa maîtresse, guettant ses moindres soupirs, ses marmonnements incompréhensibles, le moment où elle rejetait les couvertures. On l'entendait alors marcher jusqu'à la porte qu'elle n'ouvrait jamais. Au cours de la sixième nuit, la clef cliqueta, Bertrane avait cédé. Elle ne put cependant sortir de sa chambre. Alix qui s'était levée d'un bond la retenait.

– N'y allez pas !

Saisie, Bertrane mit du temps avant de répondre faiblement par une question :

– Mais où crois-tu que je vais ?

– Rejoindre ce chevalier qui vous tourmente l'esprit !

– Comment peux-tu croire une pareille chose ?

– Ne vous défendez pas, vous cachez mal vos sentiments. Nous savons toutes à quel point ce Jean vous est cher. Vos regards, vos gestes, votre voix vous trahissent chaque fois qu'il est en votre présence. À cette heure, il n'y a plus que la comtesse de Dye pour ignorer votre état. Ne franchissez pas ce seuil, je vous en conjure...

Bertrane s'adossa au battant, écoutant son sang pulser à ses tempes. Il fallait qu'elle se confie.

– Alix... Si tu savais... Alix...

– Je suis là, ma Dame.

Alix vint contre Bertrane et lui serra chaleureusement la main.

– Il ne me tourmente pas l'esprit, il me

l'enchante comme il a séduit mon cœur. Je l'aime, Alix... Je l'aime, comprends-tu ? Et je sais que notre amour est impossible. Je suis au sommet de la Cour, l'exemple même de la fidélité et de la chasteté, et même si, dans la réalité, j'étais aussi libre que dans mes rêves, je suppose que ça n'y changerait rien. Un gouffre continuerait à nous séparer. Pourquoi y penser alors à tout instant ? Le côtoyer, le toucher, lui parler me procure les plus riches moments de mon existence. Je l'aime. Tout se résume en ces trois petits mots qui me brûlent les lèvres.

Toute la violence de cette confession se manifestait dans la chair de Bertrane. Alix la ressentait dans cette main qu'elle retenait entre les siennes.

— S'est-il déclaré ? demanda-t-elle avec pudeur.

— Il ne l'a pas encore fait et je redoute qu'il le fasse bientôt. Il ne me sera pas possible de résister.

— Seigneur ! Votre époux pourrait l'apprendre !

Bertrane haussa les épaules. Elle ne le considérait pas comme son mari. Elle ne pouvait faire surgir de l'abîme du temps le souvenir de son mariage avec Bertrand.

— Il est bizarre que j'aie pu prononcer un « oui » devant un prêtre ; je ne m'en souviens pas !

— Il reste des écrits !

— Ça se brûle !

— Et des témoins !

Bertrane n'osa pas dire « Ça se tue ». Elle le pensa. Si fort que la jeune Alix le devina.

— Vous aimez réellement, *es uno cavo claro*[1].

_____

1. C'est une chose claire.

Tout était clair. Bertrane avait fait son choix. Quoi qu'il advînt, elle s'en irait avec Jean d'Agnis. Comme pour sceller ce pacte qu'elle passait avec elle-même, elle alla jusqu'au coffre. Sous le regard inquiet d'Alix, elle le fouilla jusqu'à ce qu'elle trouvât une bourse de cuir.

– La voilà ! Je veux que tu jettes cette bourse dans le trou de Maramoye, elle contient ma bague de fiançailles. Tu iras demain !

Alix hésita à prendre la bourse. Le trou de Maramoye lui faisait peur. Les sorcières se réunissaient parfois là-bas pour rompre les charmes. On disait que le trou avait le pouvoir de délier vœux et serments.

– Tu t'y rendras avec cet Ancelin qui te suit partout, mais promets-moi de ne pas trahir notre secret.

– Je vous le promets ! dit-elle en rougissant.

Elle aurait promis n'importe quoi. Pourvu que la Dame cessât de lui parler d'Ancelin. L'amour chaste que lui vouait l'écuyer faisait son chemin en elle ; elle désirait le protéger.

L'horizon s'embrasa d'un coup. L'aube était porteuse d'événements terribles. La façon dont la brume se tordait sur les collines les annonçait.

– On dirait du sang, dit Alix à Ancelin.

Ancelin regarda vers l'est. Il trouvait le spectacle fascinant. Tout était trop beau. Il avait Alix à ses côtés. Il ne cherchait pas à comprendre pourquoi elle était venue le chercher au moulin. La surprise passée et la joie l'envahissant, il l'avait suivie sans poser de question à une heure où la nuit étendait son règne sur le monde des loups, des voleurs et des revenants. Il eut un gentil sourire ; lire l'avenir dans un rayon de lune ou dans la forme d'un nuage le dépassait. Comme tous les Provençaux, Alix interprétait les moindres signes. Lui croyait à l'Enfer, au Paradis et aux saints. Cela suffisait à régler sa vie. Prononcer le nom d'Alix et le conjuguer avec le verbe aimer, c'était assez pour repousser toutes les diableries.

Il la regardait sans cesse. Menant hardiment une jument grise, elle avait l'œil dardé sur les hauteurs de Siou-Blanc. Ses cheveux clairs battaient sur ses épaules. Ce front lisse et bombé, ce nez un peu busqué, cette bouche soufflant une buée bleutée, ce menton, ce cou, il aurait pu les sculpter grain par grain. Il s'inquiéta quand ce visage se durcit.

– Vous avez froid ?

– On vient par là !

Elle montrait le large chemin qui menait sur la route de Marseille au Castelet. Ancelin mit du temps avant de percevoir le bruit. Une troupe arrivait. Il l'estima à une dizaine de chevaux. Quand elle se montra à travers le voile de la brume, il tira son épée. On aurait dit des fantômes. Un écu à la rose noire émergea du nuage d'eau accroché aux bouquets de genévriers. Le chevalier qui le portait cachait son visage derrière un casque à nasales. Ceux qui le suivaient étaient tout aussi étranges derrière leurs grands boucliers aux symboles inquiétants.

– Sire ! aboya l'homme à la rose noire. *Haute chose es branc d'acier, bien la garder qui l'a, ne puet faillir a honor, onques ire contre vous ne bui. Ami, sommes-nous Signes en l'estrée ?*

266

Alix contemplait ce drôle en armure avec sus-
picion ; elle ne put s'empêcher de demander à
haute voix :

– Mais en quelle langue chante-t-il ?

– En français, répondit Ancelin. Il me dit de
ranger mon épée car il n'a rien contre moi et
cherche la grand-route de Signes.

« *Onques envers vous ne pensai folie*, dit-il à son
interlocuteur. *Se briefment et temprement, vous
vesrez Signes !* [1] »

Il leur montra le creux d'où il venait. Ce fut
alors qu'il vit le chevalier qui se tenait à l'écart
sur un énorme destrier recouvert d'un drap noir.

– Jésus-Christ, dit-il tout bas.

Alix ne fit aucun commentaire. Les mots ne
venaient pas. Elle était effrayée par la présence
de ce solitaire dont elle sentait peser le regard.
Ce regard brillait. Il la perçait à travers les fentes
triangulaires du heaume. Il lui instillait peur et
mal malgré la distance qui les séparait. Elle
reconnut l'étoile des Baux sur le bouclier et elle
comprit qu'il était l'un des fils de Stéphanie. Elle
voulut le faire remarquer à Ancelin mais le
sombre chevalier et ses acolytes disparurent avec
les brumes en un clin d'œil évaporées.

– Le tournoi va être rude, dit simplement
Ancelin.

Pêle-mêle, au hasard des chemins, chevaliers,
marchands et paysans s'étaient rendus à Signes.
Toulon, Marseille, Aix et les fiefs alentour avaient

---

1. Bientôt et promptement, vous apercevrez Signes.

tout livré. Les putes, les voleurs, les clercs, les boumians, les moines, les mendiants allongeaient leurs mains pleines de chapelets, de sébiles et de promesses dans les rues étroites du village. Les évêques aux bonnes têtes grasses côtoyaient les charbonniers aux gueules émaciées et roussies. Des miséreux se traînaient sur leurs moignons et on se demandait comment ils étaient arrivés jusqu'ici. Noël et l'argent de Bertrand y étaient pour beaucoup. Le seigneur de Signes avait fait des miracles. Les années passant, il se prenait de plus en plus pour un saint et on s'attendait à le voir guérir les paralytiques et les lépreux. À chacune de ses apparitions, il touchait les meurtrissures saignantes et les membres raidis.

Le jour du tournoi, à l'église Saint-Pierre, une barre de soleil tombant du nouveau vitrail serti dans une barbottière forgée en Alsace vint allumer les pierreries du collier de Bertrand. À genoux, face à l'autel, le seigneur était nimbé par le reflet des opales, des ambres et des rubis. Les pauvres en furent troublés. Ils prièrent avec ferveur, et plus ils invoquaient Dieu, plus Bertrane demandait à la Vierge Marie de protéger Jean. Elle avait reçu soixante-deux chevaliers à la Cour et elle savait à présent que plusieurs ne méritaient pas le titre qui honorait leur ordre. Surtout Hugon et ses Français. Avec eux l'entrevue avait été douloureuse. Non seulement Hugon n'avait pas voulu embrasser sa mère, mais il l'avait insultée en public. Mortifiée, Stéphanie s'était retirée au Castelet et depuis on ne l'avait plus revue.

– Douce mère, faites qu'il sorte indemne des combats. Jean a le cœur pur. Notre Père l'a épargné en Judée pour qu'il témoigne des injustices commises là-bas par les Grands ; permettez qu'il vive encore longtemps en Provence... j'ai...

Elle n'arrivait pas à avouer son amour ici, dans l'odeur de l'encens et sous les yeux indulgents de la statue. Elle se savait observée par les saints en extase sur leurs socles et par les Dames en mal de scandale. Au moment de la communion, elle eut un terrible remords et elle faillit refuser l'hostie que lui tendait Guillaume. Mais fouettée par le regard furibond du chapelain, elle avala la chair de Christ. Elle ne fut pas foudroyée sur place, elle n'éprouva aucune douleur, elle ne ressentit aucun poids. Là-haut, on considérait qu'elle n'avait pas péché. En sortant de l'église, elle était presque heureuse ; elle entraîna sa cour, Alix, Jausserande et toutes celles qui avaient recommandé leurs champions aux cieux. Élise en faisait partie. Présentée à la dame d'Ongle par Robert, elle venait d'être admise au sein du sérail. Déjà elle savait l'alphabet par cœur et apprenait à écrire son prénom et celui du chevalier de Paneyrolle.

Dans un tourbillon de poussière, on s'achemina vers le plan où flottaient cent bannières. Des lances, des boucliers apparurent. C'était un long ruban de chevaliers, d'écuyers et de valets qui revenaient de la chartreuse de Montrieux. Ils avaient purifié leurs corps et leurs âmes parmi les moines en récitant des *Gloria Patri* en compagnie des convers. Avant de quitter la chapelle où avait été donnée une messe solennelle, les moines leur avaient fait boire un breuvage de styrax et de lierre blanc. « Pour le courage », avait dit le responsable de l'herbularius médicinal.

Du courage, ils en avaient à revendre. Il fut décuplé par la vue des femmes et le son des cloches carillonnant à toute volée. Jean laissa son cœur s'étendre. La joie le combla quand son regard rencontra celui de Bertrane. L'air du matin était plein du bonheur des milliers de spectateurs à l'unisson derrière les barrières et sur les gradins. Les chevaliers ne portaient pas encore le heaume et le froid de décembre rendait leurs visages beaux et sévères comme ceux des anges exterminateurs. Celui de Robert inspirait le respect contrairement à la face d'Edmond qui, on le savait, allait croiser le fer avec le chevalier d'Agnis. Quant à la figure d'Hugon, de braise et de glace, elle était assez édifiante pour rappeler à tous que l'Enfer existait.

– Prends garde à celui-ci, dit Jean à Robert, je crois qu'il t'a choisi pour adversaire.

Le chevalier du pont du Diable regarda Hugon. En effet le seigneur des Baux l'observait. Comme on allait se battre à la mêlée, sans tirage au sort, chacun cherchait un guerrier à sa mesure.

– Il ira mordre l'herbe ! répondit Robert. À Signes, point ne recule ! ajouta-t-il en criant.

La foule l'acclama. Il répéta cette devise qu'il venait d'inventer et lança son cheval au galop le long des lices. Ce fut un triomphe. La foule versatile l'adoptait après avoir tremblé pendant des années à la seule évocation de son nom. Jean s'élança à son tour, suivi des Français et d'un trio d'Aixois. Le plan était vaste, clos, cerné de toutes parts par des soldats de l'évêché et de Bertrand. Les gardes avaient du mal à contenir les bandes d'excités. Ils subissaient les insultes, recevaient des coups. Quelques contribuables se vengeaient enfin après tous ces mois passés à payer dîmes, gabelles, tailles et capitations. Et il en venait toujours par les routes de Méounes et du Beausset. Les trompettes les appelaient. Ils pressaient leurs mulets, flagellaient les culs des bœufs, poussaient les charrettes. La terre, trop malmenée par les sabots et les roues, se creusait. Les musiciens ambulants rythmaient les piétinements ; on entendait les lancinantes vielles à roues, les douces mandores, les flûtes joyeuses, les tristes rebecs, les tambourins et les tambours se disputer les branles, les gaillardes et les pavanes. On se battit un peu pour prendre place autour du plan. Une odeur fauve se dégageait de cette masse d'hommes et de bêtes qui s'offrait à la vue des dames. Delphine allait s'en plaindre quand la très riche vicomtesse Adalarie d'Avignon fit répandre un parfum d'Orient sur les coussins.

– Je ne veux pas de cela ! se récria Bertrand. C'est de la luxure !

Il était trop tard. Une fragrance sucrée et poivrée monta aux narines. Bertrand se tut. Les dames gloussaient. Le seigneur de Signes n'était pas au bout de ses surprises. Quand les demoiselles de la cour déroulèrent la banderole de velours le long du podium des invités, il demanda pardon à saint Antoine.

Le succès trop facile ôte bientôt son charme à l'amour : les obstacles lui donnent du prix.

La quatorzième maxime de la cour d'Amour s'adressait directement aux chevaliers qui attendaient en ligne. Jean, Robert, Ancelin et la plupart de ceux qui défendaient les couleurs d'une belle. Ces mots étaient essentiels pour la quête qu'ils menaient depuis leur adoubement. Ancelin les lut à haute voix. Il était devenu chevalier la veille après deux jours de jeûne. Casteljaloux lui avait assené une gifle sur la nuque selon la coutume après lui avoir ceint une nouvelle épée offerte par le prieur des Chartreux.

Mais cet adoubement ennuyait Bertrand. Ancelin était le soixante-troisième chevalier engagé. On ne pouvait engager les hostilités.

— Trente-trois contre trente-quatre ! Qu'on demande au jeune chevalier de se retirer ! criat-il au héraut d'armes qui procédait au partage du groupe.

Le héraut retourna en maugréant. C'était déjà bien difficile d'organiser le jeu. Tous avaient refusé le tirage au sort. Hugon et les Français voulaient être ensemble. Les Aixois gueulaient parce qu'il y avait un Marseillais dans leurs rangs. Les vieilles haines se réveillaient. Tel ancêtre avait été tué par un Revestois, tel autre avait vu ses terres ravagées par son voisin. On se reprochait des mésalliances. Le héraut fut accueilli par des menaces.

— Écoutez, dit-il à Ancelin, ne prenez pas ma demande en mauvaise part, mais je dois équilibrer ma bataille. Je représente le seigneur de Signes et n'y voyez pas de la suffisance. Il faut vous retirer.

Ancelin devint tout rouge. C'était un grand affront. Il guetta la réaction de Casteljaloux. Ce dernier était trop occupé ; depuis leur arrivée sur le plan, il veillait à ce que personne ne désignât

272

de sa lance le chevalier d'Agnis. Il le voulait pour lui seul, il l'avait demandé à Dieu !

– Tout s'arrange ! lâcha un Aixois.

Le héraut ne comprit pas tout de suite. Les chevaux lui cachaient la vue. Un murmure montait de la foule. Puis il le vit. Tout de blanc, de pourpre et de fer vêtu, un nouveau concurrent venait de pénétrer dans le champ clos du plan.

Bertrand loua l'ange qui avait envoyé cet éclatant chevalier. Mais son bonheur fut de courte durée. Bertrane et Rostangue poussèrent un « Non ! » qui sema le trouble dans son esprit. Il avait moins bonne vue que les deux dames. Soudain le blason du soixante-quatrième combattant s'imposa à son regard. L'étoile des Baux.

– Stéphanie...

On voulait donc le damner. Une dame dans le tournoi ! Qu'allaient en penser les évêques ? Il se tourna vers les prélats. Ces derniers demeuraient impassibles.

– Qu'on l'empêche de se mêler aux chevaliers ! aboya-t-il.

– Laissez donc, mon fils. Dieu jugera.

Monseigneur Pierre de Marseille venait de trancher. Bertrand en resta pantois. Quelque chose lui échappait. La comtesse des Baux allait se faire tuer. L'Église semblait y trouver son intérêt.

Après l'affront public qu'Hugon lui avait infligé, Stéphanie venait défendre son honneur. Bertrane s'en voulait. Elle aurait dû s'en douter. Au lieu de consoler son amie, elle avait passé son temps à rêver à Jean.

Les murmures se turent. Stéphanie des Baux alla au cœur du groupe des chevaliers, là où se

tenait son fils, et elle toucha du bout de la lance
l'écu d'Hugon.

– Pour l'honneur du nom et de la race, je briserai cet écu. Pour la gloire du Messie, je briserai
cette lance et s'il le faut, Dieu m'entende, je briserai cette épée que tu n'es pas digne de porter !

Ainsi parla Stéphanie. Hugon semblait fasciné.
Il était pareil à un homme hanté par une vision
intérieure. Cette femme quelque part dans le
temps, c'était sa mère ; c'était cette femme qui
était son ennemie, la part de lui qui devait mourir
pour que revivent les Baux. Il ne pouvait espérer
une meilleure occasion. Il eut un bref mouvement
de tête pour Liénard d'Ouches.

Le Français comprit. Il fallait saigner la dame.
Pas facile. Liénard estima la force de leur groupe
à la puissance des destriers et à la carrure des
cavaliers. Elle lui paraissait supérieure malgré la
présence d'Ancelin.

Les trompettes lancèrent des trilles rauques.
À cet appel, des chevaliers vinrent parader
devant les podiums où les dames attendaient les
champions. Jean se présenta à Bertrane qui lui
remit une bande d'étoffe blanc et or. Robert et
Ancelin reçurent les leurs des mains d'Élise et
d'Alix tandis que Jausserande nouait un ruban de
soie à la lance d'Edmond. Ils étaient une quin-
zaine à défendre les couleurs des belles Provençales et à recueillir les faveurs des spectateurs.
Quand ils reprirent place dans leurs lignes res-
pectives et que les valets posèrent les heaumes
glacés sur leurs têtes, tout s'effaça. Les cris,
les regards énamourés, les chants, le ciel. Plus
rien.

Jean tendit ses muscles. Hercule s'ébroua.

Là-bas à trois cents pas, la silhouette de Castel-jaloux était comme un mannequin à la quintaine. Il l'isola. Quand les trompettes donnèrent le signal de la charge, chacun s'élança vers son adversaire.

Bertrane cessa de respirer. Alix se mordit le poing. Élise ferma les yeux. Jausserande éprouva un véritable plaisir charnel. Les chevaux étaient plus rapides que les yeux. Il était difficile de repérer son favori au sein des deux troupes lancées l'une contre l'autre. Les corps des chevaliers s'inclinèrent un peu sur les encolures des montures. Les écus couvrirent les poitrines. Les lances s'affermirent dans les mains gantées de cuir. Quelques instants avant le choc, les destriers étirèrent leurs pattes, pointant leurs naseaux dans l'air qui vibrait. La terre tremblait. Les jambes des spectateurs tremblaient. La main de Stéphanie tremblait. Son fils paraissait venir d'infiniment loin. Ce fut d'abord un minuscule point sombre, puis à une vitesse folle, il se transforma en un gigantesque guerrier, un démon moitié cheval, moitié humain. Elle vit que la lance d'Hugon ne cherchait pas à atteindre l'écu mais sa gorge. Alors sa main ne trembla plus ; elle eut juste le temps de se protéger. Le choc fut terrible, les deux lances se brisèrent sur les boucliers. Aucun des deux cavaliers ne tomba. Il en fut de même entre Jean et Edmond. Ancelin eut moins de chance : il se sentit décoller de selle. Le sol était dur. La douleur à l'épaule lui arracha un cri. Avant de s'évanouir, il vit Robert désarçonner le Français Bonneval du Pont.

– Ancelin ! hurla Alix.

Quatre notes de trompette ramenèrent les cavaliers vainqueurs sur les lignes de départ. On dénombra sept blessés.

– Belle empoignade, dit Jean à Robert.

– Bah ! Le Français avait les cuisses faibles.

Jean l'admit. Sa propre passe avec Edmond n'avait rien donné. Les deux hommes s'étaient effleurés.

– Ils ont l'avantage, constata Robert.

Et un bel avantage. Du côté des adversaires, seuls Ancelin et Bonneval étaient tombés. Le jeune chevalier d'Aquitaine était déjà entre les mains de l'archiâtre et des thérapeutes de l'évêché. Alix arriva sous la tente au moment où son galant rouvrait les yeux.

– Il s'en remettra, dit l'archiâtre.

À partir de cet instant, Alix fut toute à sa joie. Elle oublia le tournoi, les galops, la mêlée, la terre éventrée, les charges furieuses, les exploits. Dehors le tonnerre des vivats éclata à plusieurs reprises. De brusques cris de déception annonçaient parfois la chute d'un favori. Ancelin demanda à Alix de le soutenir pour marcher. Elle le fit à contrecœur. Il voulait voir la fin des joutes. Ce qu'il découvrit l'étonna. On avait suspendu le tournoi.

– Il y a trois morts, commenta un sergent. Le chevalier du pont du Diable a eu les Français. Ces pourritures en voulaient à la Dame des Baux. Une félonie ! Lui a tout vu. Deux d'un coup *qu'a debooussa*[1] : un avec la lance, l'autre avec l'épée. Deux trous dans les poitrines ! Ils sont là-bas avec le troisième.

---

1. Qu'il a renversés.

Son doigt montra une table sur laquelle gisaient Étienne de Borron, Liénard d'Ouches et Robert de Béthune. La table était trop petite. Leurs têtes pendaient à l'extérieur comme celles des poulets à l'étal du boucher.

– Sainte Marie, murmura Ancelin.

La mère de Dieu devait être très triste dans les cieux. Le tournoi à la gloire du Christ tournait au triomphe de Satan. Sur la tribune, on s'agitait. On appela Hugon, Stéphanie, Edmond et Jean. Ces quatre-là étaient responsables de la tension qui régnait. Par sa bravoure, Robert était absout. Le héraut lui fit savoir que Bertrand lui offrait deux manses de terre à la Salomone.

Quand Stéphanie releva la visière de son casque, Bertrane comprit à quel point elle souffrait. La comtesse des Baux venait de perdre dix ans de sa vie. Des rides taillaient son visage en sueur ; ses yeux, habituellement lumineux, avaient l'aspect vitreux d'un regard à l'agonie. Elle avait brisé la lance de son fils, elle avait brisé l'écu de son fils. Restait l'épée.

– Je demande le jugement de Dieu ! Épée contre épée !

Sa voix tonna. L'évêque Pierre ne chercha même pas à user de diplomatie. Comme Bertrand n'intervenait pas, il répondit :

– Dieu jugera.

– Et vous deux ? demanda-t-il à Jean et Edmond.

– Épée contre épée ! clama Casteljaloux.

– Je m'y oppose !

Bertrane avait crié. Elle devint le centre de toutes les interrogations. L'évêque en avait la bouche bée.

277

– De quel droit la Dame de Signes intervient-
elle dans les affaires du Ciel ?

– Du droit d'amour !

Cet aveu aurait dû la perdre, mais il y avait une
telle force et une telle dignité dans son attitude
que nul n'osa se récrier. Son expression de froide
pureté ne révélait rien de malsain. L'évêque qui
savait percer les mystères des âmes parut
dérouté. Il s'approcha davantage de la dame et
lui prit la main. Elle ne fit aucun effort pour la
lui abandonner. Aucun tremblement, aucune
incertitude. Aucun péché. L'évêque réfléchissait
vite. Elle n'avait pas d'enfant. Signes était dans
la mouvance de l'évêché. En forçant un peu le
destin, lui, Pierre de Marseille, pouvait devenir le
maître de ses belles et bonnes terres. Il jeta un
œil vers cet idiot de Bertrand qui ne réagissait
pas, mais il était loin de deviner ce qui se passait
dans la tête du gros seigneur de Château-Vieux.

Bertrand n'en voulait pas à son épouse. Au
contraire. Elle venait de le libérer. Cette alliance,
ce mariage, objet de tractations et de combinai-
sons politiques entre les maisons de Signes,
d'Ollioules et d'Aubagne le contraignait depuis
des années. À quoi bon une épouse ? Ne possé-
dait-il pas tout ce qu'il désirait ? Il était le chef
incontesté des barons de la Sainte-Baume. Il
avait voulu la gloire... N'avait-il pas gagné cinq
batailles et vaincu une bonne trentaine de chevaliers du temps de sa jeunesse ? Il avait voulu la
richesse... Il avait suffisamment d'or pour aider
les pauvres de son fief pendant cinq siècles.
Combien d'hommes luttaient et peinaient pour
arriver au dixième de son niveau ? À présent, il

désirait la sainteté. Et ce désir passait par la répudiation de Bertrane.

– Ma Dame !

L'appel venait de Jean. On l'avait presque oublié.

– Souffrez que je règle mes comptes avec le représentant de la Reine. Je suis votre champion. Ce titre, va-t-il falloir que je le renie ? Ce serait un grand renoncement. Parce que je vous aime... Parce que je vous aime je ne peux pas mourir. Le seul fait que vous existiez ne me permet pas de quitter ce monde. Et puisqu'il faut que je vive pour vous servir dans l'honneur, je veux vivre sur la terre des hommes telle qu'elle est. Selon ses lois. Et pas à moitié. Complètement. J'accepte le jugement de Dieu car je sais au plus profond de moi-même, là où rien ne peut m'atteindre si ce n'est votre amour, que mon âme est pure.

« Finissons-en, chevalier ! »

Casteljaloux était ébranlé par ce qu'il venait d'entendre. Cette confession publique. Cette certitude dans la voix. Cette rectitude dans le regard de Jean d'Agnis le faisait douter. Il vit les larmes de Bertrane, l'émerveillement des dames, la satisfaction de l'évêque, l'incroyable passivité de Bertrand, la ferveur du peuple et Jausserande qui lui disait « non » tout bas. Il prit soudain la résolution de ne pas se battre.

– Je ne croiserai pas le fer avec vous. Je me suis trompé. Vous êtes loyal et bon. J'ai lu cette phrase gravée au château des Dames : « Personne sans raison plus que suffisante ne doit être privé de son droit en amour. » Je ne vous priverai pas de ce droit. Demeurons amis car j'ai l'intention de rester ici.

Jean accepta la main et l'accolade d'Edmond. La foule cria « Noël ! Noël ! » Jusqu'au moment où le roulement lugubre des tambours annonça le duel à mort entre Stéphanie et son fils. C'était un spectacle insupportable. Stéphanie s'était donnée corps et âme dans le tournoi. On voyait qu'elle puisait dans ses dernières ressources pour parer les premiers coups que lui porta Hugon. Les dames pleuraient. On huait Hugon. On montrait les poings à la noblesse. Un paysan lança : « Honte à nous ! Honte à l'Église ! Honte à Signes ! » L'évêque en fut contrarié. D'autant plus que toutes les bouches s'ouvrirent pour demander l'application de la trêve au nom de Jésus. Ça tournait mal. Très mal. Et il ne connaissait pas la parade. On n'arrêtait pas un jugement de Dieu.

Stéphanie manquait d'air. Un voile noir allait et venait devant ses yeux. Sa pauvre carcasse n'était que douleur. Féroce, Hugon ébréchait peu à peu l'écu de sa mère. Son épée fendit même le heaume sans atteindre le crâne. Elle était perdue. Elle abandonna le bouclier pour tenir son arme à deux mains. Quand il attaqua, elle mit toutes ses forces dans la parade.

– Noël ! Noël ! hurla la foule.

C'était un miracle. L'épée d'Hugon s'était brisée contre la lame de Stéphanie. Son troisième vœu venait de se réaliser. Hugon n'attendit pas qu'elle achève le combat. Il courut vers un garde armé d'une gigantesque double hache dont il s'empara. Puis il marcha vers Stéphanie. Il avait l'air d'un bourreau. La dame des Baux était à bout de ressources. Elle se résigna à périr. La hache décrivit une courbe. Elle allait atteindre le cou de Stéphanie lorsqu'une épée la bloqua dans sa course. Hugon lâcha un juron.

– Je prends votre cause ! dit le défenseur de la dame.

Stéphanie entendit la voix de Jean comme dans un rêve. Elle eut la force de demander : « Ne me le tuez pas ! »

Jean ne pouvait faire cette promesse. La rage transforma Hugon en bête fauve. Sa hache volait en tous sens. Dans son aveuglement, il eut un geste maladroit et ne put reculer quand la pointe de l'épée de Jean força sa cuirasse.

Dans un jaillissement d'étincelles, le fer pénétra l'acier d'une plaque avant de rencontrer le cuir puis la peau fragile du ventre. Quand Hugon tomba, Stéphanie voulut le secourir, mais on l'en empêcha. Conan de Montfort et Othe d'Auxerre emportèrent le corps du seigneur des Baux. Il était arrivé avec les Français ; il repartait en Enfer avec eux.

Noël arriva. On fêta le Messie. Puis au matin de la Saint-Étienne, on se quitta. Le mistral soufflait, apportant son lot de glace et de mystère. Les bannières claquaient au bout des hampes. Pas toutes. Il en manquait une. Celle de Bertrane de Signes. La dame l'avait pliée dans une étoffe brodée d'or. Elle voulait qu'elle flottât tout là-haut sur le plateau d'Agnis. Quand elle parvint sur le chemin de Fontauroi, Jean était là. Il l'attendait dans l'aube naissante. Le mistral la poussa vers lui, multiplia ses rafales, plia les grands chênes. C'était un chant d'amour. C'était leur chant. Bertrane et Jean galopèrent côte à côte vers le soleil, vers l'amour. Derrière eux, le monde des hommes s'effaça aux premières neiges. Pas la destinée...

61250 *Lonrai*